ATLAS

DE
GEOGRAPHIE HISTORIQUE
DE LA FRANCE ET DE LA GAULE

Stéphane Sinclair

Elève à l'Ecole nationale des chartes

ATLAS
DE
GEOGRAPHIE HISTORIQUE
DE LA FRANCE ET DE LA GAULE

de la conquête césarienne à nos jours

SEDES

88, Boulevard Saint-Germain, PARIS V

TABLE DES MATIERES

3

DEUXIEME PARTIE : GEOGRAPHIE ADMINISTRATIVE ET JUDICIAIRE (IX-XX°s.)

TROISIEME PARTIE: GEOGRAPHIE RELIGIEUSE (IV°- XX° s).

Chapitre Ier . - *Les évêchés d'Ancien Régime.*

Chapitre II . - *Les évêchés depuis 1790.*

Chapitre III . - *La France protestante.*

BIBLIOGRAPHIES ET INDEX

INTRODUCTION

La rédaction et la composition de cet atlas obéissent à plusieurs motivations: créer un ouvrage qui, dans l'immédiat, n'existe ni en France ni à l'étranger; tenter de redonner le goût de la géographie historique, matière souvent austère, à des étudiants jusque là confrontés à un redoutable manque de sources cartographiques et écrites (ceci explique notre désir de leur fournir une bibliographie aussi critique et exhaustive que possible); résoudre une difficulté propre au concours d'entrée à l'Ecole nationale des chartes, le repérage des anciennes limites administratives et historiques sur une carte muette représentant les limites des départements: la plupart de nos cartes comprennent le tracé actuel des départements sur lequel viennent s'inscrire, en grisés, les anciennes limites territoriales (se reporter à la légende générale et aux cartes de référence qui se trouvent au début de l'atlas). Anachronisme aux yeux de certains, mais en tous cas moyen pédagogique indispensable pour ceux qui désirent connaitre l'évolution territoriale de notre pays, en ayant toujours la possibilité de se repérer par rapport à des cadres connus.

La réalisation matérielle de l'ouvrage a nécessité l'utilisation d'un ordinateur Macintosh 128 Ko de la firme Apple Computer, doté des logiciel Mac Paint et Mac Draw, qui nous avaient particulièrement séduit pour leurs qualités de traitement graphique: il a cependant fallu créer des méthodes -jusque là inédites- de saisie des fonds de cartes qui sont tracés à trois échelles différentes (utilisation d'une photocopie sur rhodoïd plaquée sur le moniteur ce qui permet le tracé grace à la "souris" employée en mode "pinceau"), et de remplissage par les grisés (détourage préalable du fond de carte et utilisation des inverses-vidéos des grisés pour que seul le cadre départemental apparaisse représenté par une ligne continue).

L'ouvrage couvre la quasi totalité de l'histoire nationale, dans tous ses aspects: histoire événementielle avec les cartes générales du Royaume et des principautés territoriales à diverses époques, histoire des cadres administratifs, des cités romaines aux régions contemporaines; en tant qu'atlas il se compose surtout de cartes, mais telle évolution administrative complexe ou tel héritage particulièrement important nous ont amené à y inclure aussi des tableaux et des arbres généalogiques; en outre, le caractère succinct des textes de présentation est compensé par des légendes que nous nous sommes efforcé de rendre assez synthétiques pour qu'elles puissent servir de plan à chaque question traitée: à ces titres divers, cet ouvrage se veut d'un intérêt général pour tous les étudiants en histoire. Mais la difficulté de reporter des limites territoriales souvent floues sur une carte dont les subdivisions contemporaines sont rigoureuses - cet aveu d'impuissance à représenter sur un support cartographique des territoires anciens reste critiqué par les tenants de la géographie historique classique - nous ont sans nul doute fait commettre de nombreuses erreurs de détail; en demandant à nos lecteurs de bien vouloir nous faire part de leurs critiques ou corrections, nous sollicitons d'eux une preuve d'indulgence autant que d'intérêt.

Stéphane Sinclair, Paris 1985.

LEGENDE GENERALE ET CARTES DE REFERENCE

Nous avons utilisé quatre fonds de cartes principaux où sont toujours portées les limites départementales: nous les avons choisis en raison de leur format (qui nous permettait de ne pas voir réduire nos cartes lors de l'impression de l'atlas) mais aussi de leur banalité (il s'agit de cartes d'échelle courante facilement accessibles); nous nous sommes en outre servi d'un ensemble réduit de signes distinctifs et d'abréviations pour donner plus de cohérence à notre atlas.

1- La carte régionale au 1/ 1 500 000ème

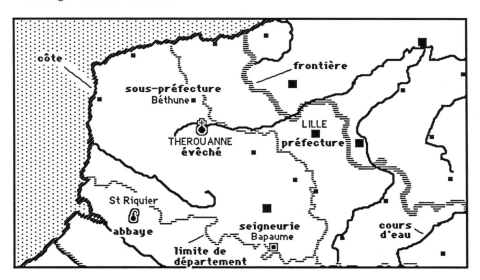

Il s'agit d'une carte au 1/1 500 000 ème tirée du dictionnaire Larousse (encarts en fin de volume) pour le territoire national, et du *Petit Atlas Bordas* (carte 26: BENELUX) pour les Pays-Bas; les limites départementales sont indiquées en traits tiretés, les cours d'eau en traits continus; les préfectures et sous-préfectures contemporaines sont toutes représentées par des carrés de taille variable, ce qui nous évite d'en reproduire les noms sur chaque carte.

Ce fond de carte est surtout utilisé pour la géographie féodale et les frontières nord et est de la France.

2- Le fond de carte au 1/3 300 000 ème

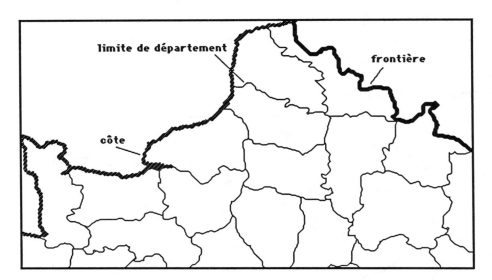

Il s'agit d'un fond tiré d'une carte muette datant probablement d'avant 1926: *France physique et politique* (s.d.-s.l.). Nous n'y avons porté ni les préfectures ni les sous-préfectures ni les cours d'eau, mais seulement la frontière et les limites départementales contemporaines en traits continus d'épaisseur variable.

Ce fond est largement utilisé pour la géographie féodale (premières principautés; problèmes méridionaux au XIII° s.; cartes générales du royaume au Moyen Age; possessions bourguignonnes aux XIV°-XV°s.): les territoires sont toujours représentés par des zones de grisés (non délimitées par des traits continus); leurs limites linéaires ne sont matérialisées que sur les équivalents détourés et inversés de ce fond de carte (limites des pagi gallo-francs; limites des territoires d'Henri II Plantagenet; limites du comté de Toulouse au XII° s.; limites des territoires bourguignons sous Philippe le Bon).

3- Les fonds de carte au 1/5 300 000 ^{ème}

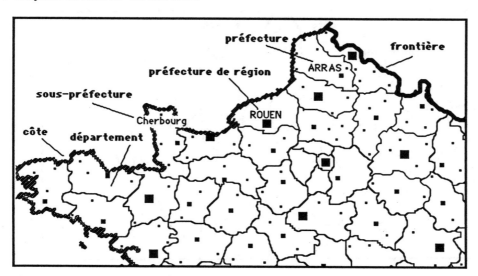

Le fond de carte départemental est tiré du *Bottin Administratif* de 1984 (cartographie Oberthur): il indique les préfectures des régions de programme, les préfectures départementales, les sous-préfectures. Le fond de carte des évêchés français en 1789 provient de l'étude de Dom Dubois parue dans les *Annales AESC* de 1965 et nous a été gracieusement fourni par le *Laboratoire de Cartographie de l'EPHE (*131, bvd Saint-Michel 75005, Paris).

Ces fonds sont abondamment utilisés, tant pour les divisions administratives ou religieuses que pour les cartes historiques (Antiquité).

4- La carte au 1/8.000.000 ème

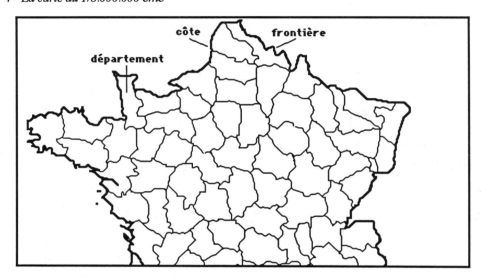

Il s'agit d'un fond obtenu par réduction de la carte n°9 du *Petit Atlas Bordas* . Nous n'y avons porté que les limites départementales actuelles; nous en avons cependant tiré cinq fonds distincts:

- départements français en 1811 (Empire Français)

- départements français de 1815 à 1860

- départements français de 1860 à 1870

- départements français de 1871 à 1919

- départements français de 1919 à nos jours.

Ce fond est utilisé pour les cartes administratives au cas où une comparaison entre plusieurs organisations territoriales est nécessaire.

Première partie

HISTOIRE

Chapitre Ier

Histoire antique :
l'administration de la Gaule romaine

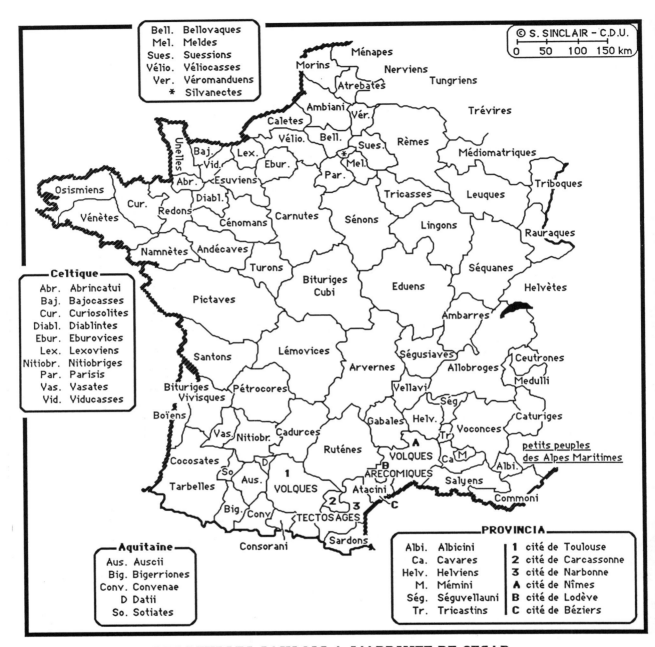

Bell. Bellovaques
Mel. Meldes
Sues. Suessions
Vélio. Véliocasses
Ver. Véromanduens
* Silvanectes

© S. SINCLAIR - C.D.U.
0   50   100 150 km

Celtique
Abr. Abrincatui
Baj. Bajocasses
Cur. Curiosolites
Diabl. Diablintes
Ebur. Eburovices
Lex. Lexoviens
Nitiobr. Nitiobriges
Par. Parisis
Vas. Vasates
Vid. Viducasses

Aquitaine
Aus. Auscii
Big. Bigerriones
Conv. Convenae
D Datii
So. Sotiates

PROVINCIA
Albi. Albicini
Ca. Cavares
Helv. Helviens
M. Mémini
Ség. Séguvellauni
Tr. Tricastins

1 cité de Toulouse
2 cité de Carcassonne
3 cité de Narbonne
A cité de Nîmes
B cité de Lodève
C cité de Béziers

petits peuples
des Alpes Maritimes

LES PEUPLES GAULOIS A L'ARRIVEE DE CESAR

18

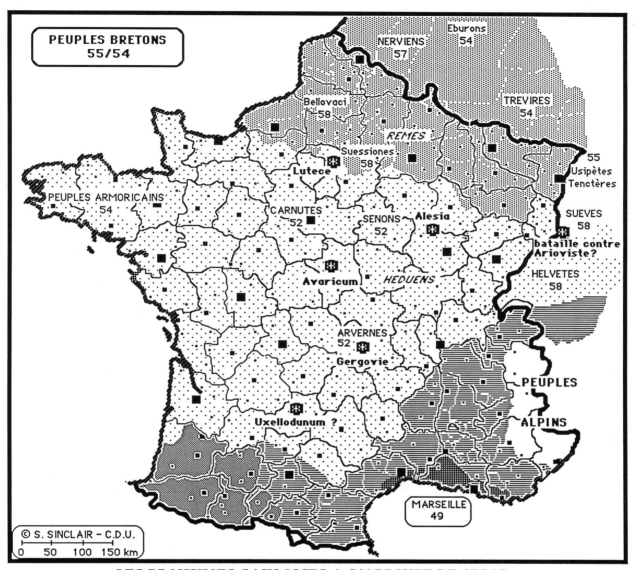

**PEUPLES BRETONS
55/54**

Eburons
54

NERVIENS
57

TREVIRES
54

Bellovaci
58

REMES

Suessiones
58

Lutece

PEUPLES ARMORICAINS
54

55

Usipètes
Tenctères

SUEVES
58

bataille contre
Arioviste?

HELVETES
58

CARNUTES
52

SENONS
52

Alesia

HEDUENS

Avaricum

ARVERNES
52

Gergovie

Uxellodunum ?

PEUPLES

ALPINS

MARSEILLE
49

© S. SINCLAIR – C.D.U.

0   50   100 150 km

LES PROVINCES GAULOISES A L'ARRIVEE DE CESAR

LEGENDE

HEDUENS   Peuples alliés
ARVERNES   Peuples ennemis et vaincus ; **Alesia** : Champ de bataille

Province Romaine conquise en −125/−118

Territoires de Marseille

Aquitaine celtique

Belgique

Celtique

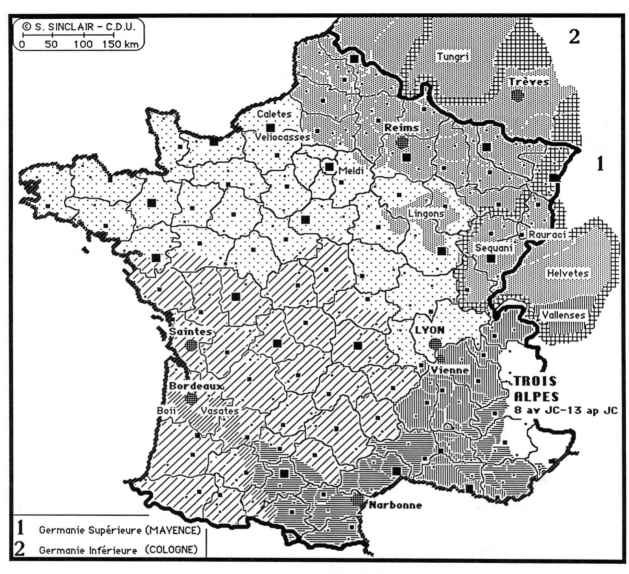

LA PAIX ROMAINE: LA REFORME AUGUSTEENNE de 13 av. JC
et ses amendements ultérieurs (I°-II°s)

LEGENDE

⊕ Lyon   Capitale de Province

Province Romaine (NARBONNE)

Apparition probable de la Viennoise au II° s.

Aquitaine Augustéenne (SAINTES puis BORDEAUX II° s)

Apparition de la Novempopulanie à la fin du II° s. Augmentée, par rapport à l'Aquitaine de César, des cités des ⌈Vasates ⌊Boii

Gaule Belgique (REIMS puis TREVES II° s)
réduite, au II° siècle, des cités des ⌈Tungri │Sequani │Helvetii ⌊Rauraci

Gaule Celtique ou Lyonnaise (LYON, capitale des Trois Gaules, et de la province)

• augmentée , par rapport à la Celtique césarienne, des cités des
⌈ – Caletes
│ – Veliocasses
⌊ – Meldi

• augmentée de la cité des Lingons (appartiennent à la Belgique jusqu'en 82/90 puis sont rattachés à la Germanie Supérieure)

Germanies Inférieure et Supérieure

Inférieure augmentée des cités des Tungri au II° s.
Supérieure augmentée , vers 82/90, des cités des
⌈ Sequani
│ Helvetii
⌊ Rauraci

21

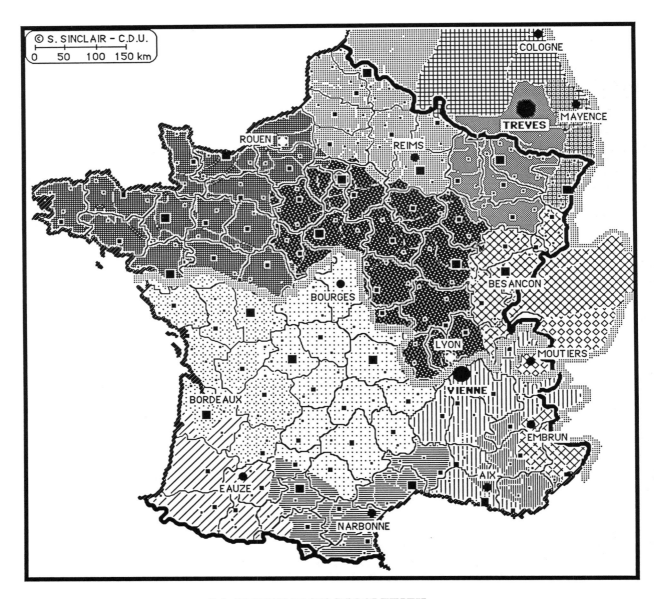

LA REFORME DE DIOCLETIEN
(d'après la liste de Vérone: 312/314)

LEGENDE

DIOCESE DE VIENNOISE (VIENNE)

	VIENNOISE (VIENNE)
	NARBONNAISE I (NARBONNE)
	NARBONNAISE II (AIX)
	AQUITAINE I (BORDEAUX)
	AQUITAINE II (BOURGES)
	NOVEMPOPULANIE (EAUZE)
	ALPES MARITIMES (EMBRUN)

DIOCESE DES GAULES (TREVES)

	BELGIQUE I (TREVES)
	BELGIQUE II (REIMS)
	GERMANIE I (COLOGNE)
	GERMANIE II (MAYENCE)
	GRANDE SEQUANAISE (BESANCON)
	ALPES GREES & PENNINES (MOUTIERS)
	LYONNAISE I (LYON)
	LYONNAISE II (ROUEN)

NB : nous n'avons indiqué sur la carte aucun des noms des cités composant les provinces, par souci de ne point trop alourdir la lecture de celle-ci; on en trouvera la liste complète dans nos tableaux des évêchés français p. 179-186.

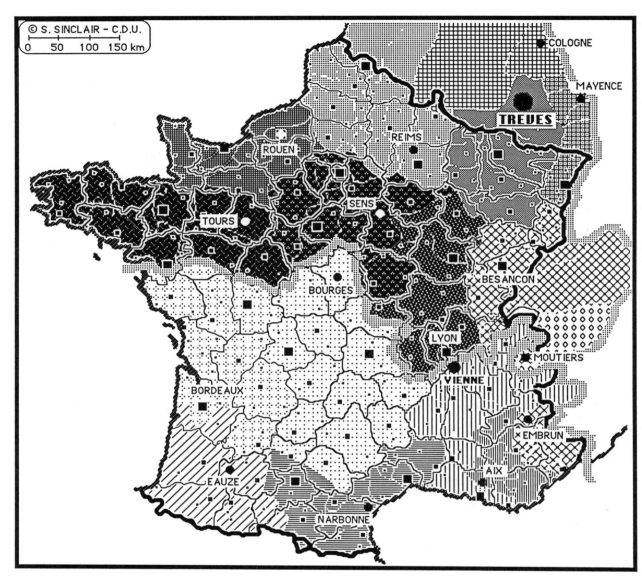

LA REFORME DE CONSTANTIN

LEGENDE

PREFECTURE DES GAULES (TREVES)

DIOCESE DE VIENNOISE (VIENNE)

VIENNOISE (VIENNE)

NARBONNAISE I (NARBONNE)

NARBONNAISE II (AIX)

AQUITAINE I (BORDEAUX)

AQUITAINE II (BOURGES)

NOVEMPOPULANIE (EAUZE)

ALPES MARITIMES (EMBRUN)

DIOCESE DES GAULES (TREVES)

BELGIQUE I (TREVES)

BELGIQUE II (REIMS)

GERMANIE I (COLOGNE)

GERMANIE II (MAYENCE)

GRANDE SEQUANAISE (BESANCON)

ALPES GREES & PENNINES (MOUTIERS)

LYONNAISE I (LYON)

LYONNAISE II (ROUEN)

LYONNAISE III (TOURS)

LYONNAISE IV (SENS)

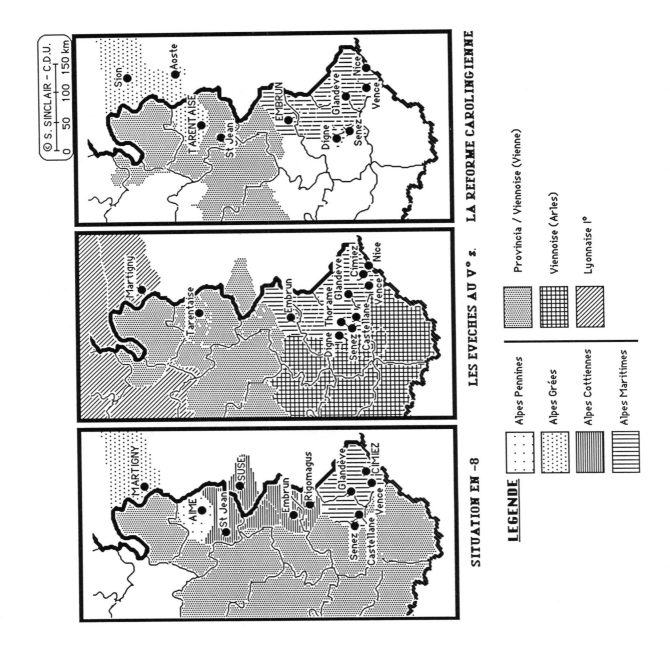

SITUATION EN -8   LES EVECHES AU V° s.   LA REFORME CAROLINGIENNE

LEGENDE

Alpes Pennines	Provincia / Viennoise (Vienne)
Alpes Grées	Viennoise (Arles)
Alpes Cottiennes	Lyonnaise I°
Alpes Maritimes	

© S. SINCLAIR – C.D.U.

0 50 100 150 km

26

Les divisions administratives et religieuses dans les Alpes
Ier siècle av JC - VII° s ap JC

-8 Auguste	63-c II° s	IV°s Diocl.	Not. Gall.	év. V° s	év. VI° s	Réforme 794
PENNINES	**GREES et PENNINES**	**GREES et PENNINES**	**GREES et PENNINES**	**rattachées à la LYONNAISE Ière**		**Province de TARENTAISE**
MARTIGNY ?	Martigny	Martigny	Martigny	Martigny	Sion 585	Sion
GREES				**rattachées à la VIENNOISE (VIENNE)**		
AIME	AIME	AIME	TARENTAISE	Tarentaise	Tarentaise	TARENTAISE 794
COTTIENNES	**COTTIENNES**	rattachées A. Grées/Penn	Rattachées à la VIENNOISE (VIENNE)			
SUSE	Suse	Suse				
St Jean	St Jean	St Jean			St Jean	St Jean
				390 Aoste	574 Aoste	Aoste
	MARITIMES	**MARITIMES**	**MARITIMES**	**rattachées à la VIENNOISE (ARLES)**		**MARITIMES**
Embrun Rigomagus	EMBRUN Rigomagus	EMBRUN Rigomagus	EMBRUN	Embrun	Embrun	EMBRUN 794
MARITIMES						
CIMIEZ	Cimiez	Cimiez	Cimiez	Cimiez	463-66 Nice	Nice
Castellane	Castellane	Castellane	Castellane	†442 Senez		
Senez	Senez	Senez		Senez	Senez	Senez
Digne	à la Narbonn. (Galba)	Digne	Digne	Digne	Digne	Digne
			Nice	Nice	Nice	Nice
Vence	Vence	Vence		Vence	Vence	Vence
Glandève	Glandève	Glandève		Glandève	Glandève	Glandève
?	Thorame	Thorame		Thorame	† Senez	
						Antibes

27

Chapitre II

Le Haut Moyen Age :
des royaumes barbares à la première dissociation territoriale

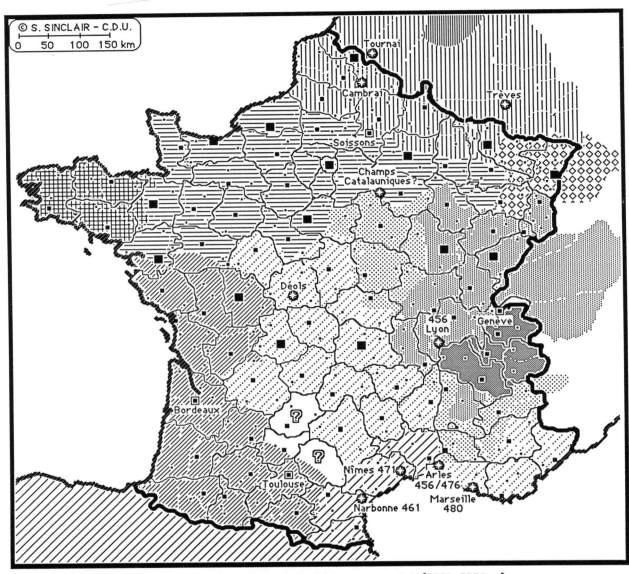

EXTENSION DES ROYAUMES BARBARES (IV°-VI° s):
état vers 483.

LEGENDE

 Bataille importante. Capitale de royaume barbare. Date de conquête inconnue.

LES VISIGOTHS

 Sous Théodoric I° (418-451), fédération en Aquitaine I et Novempopulanie.

 Sous Théodoric II (453-466):
- Conquête de la "Gothie" ou Septimanie.
- premieres avancées en Espagne.

 Sous Euric (466-484):
- Lutte contre le patrice Aegidius (469 - Déols): conquête du Berry et des bords de la Loire.
- 474/476 conquête de l'Auvergne et du Périgord.
- 477 consolidation en "Languedoc"; conquête de la Provence au sud de la Durance.

LES BURGONDES

 après leur défaite face aux Huns d'Aetius (436): fédération en "Sapaudia", qui correspond probablement à la Tarentaise, la Maurienne, le Grésivaudan et le Viennois (443).

 Sous Gondioc (457-470):
- installation définitive à Lyon (469), qui est érigée en capitale
- occupation de la "Bourgogne" et avancées en Alsace.

 Sous Chilpéric I° (470-480) et Gondebaud (480-516):
- extension au sud jusqu'à la Durance (471).
- occupation du Sénonais et des limites méridionales de la "Champagne".

LES FRANCS

 sous Constance II, fédération en "Toxandrie", région aux limites mal définies (340).

 Conquêtes des IV° et V° siècles:
- Extension vers Cambrai et Tournai, qui devient la capitale des Francs Saliens.
- 456, prise de Trêves par les Francs Rhénans (Sigebert).
- 475, autonomie de Childéric, roi des Saliens; avancées vers la Picardie (Soissons).

 ETAT GALLO-ROMAIN DE SYAGRIUS.

 INSTALLATION DES BRETONS EN ARMORIQUE.

 ALAMANS.

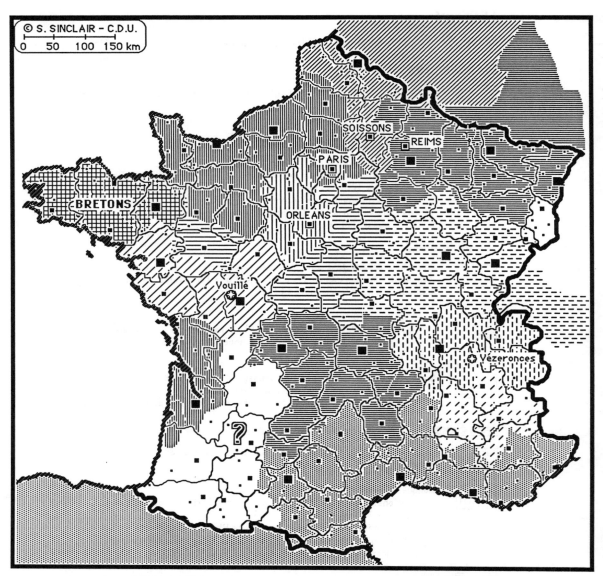

LE PARTAGE FRANC DE 511 ET SES SUITES
(517, 534).

LEGENDE

La coutume était, dans les royaumes barbares, de partager les biens du roi entre ceux qui en étaient dignes, c'est à dire ses héritiers mâles ; ce "partage franc" n'excluait pas cependant les calculs politiques : regroupement des capitales, gage d'union.

Le partage de 511 et ses suites immédiates (511-517)

 Territoires revenant à l'aîné, Thierry : Belgique Seconde (crainte d'une attaque des peuples rhénans) et Auvergne dont Thierry avait réduit les vélléités d'indépendance). La capitale est Reims.

 Territoires acquis à la mort de Clodomir : les cités de Bourges, Auxerre et Sens ménagent un "pont territorial" entre les deux parties, jusque là distinctes du domaine de Thierry.

 Territoires de Clodomir (511-517) ; à sa mort, ses frères firent assassiner ses héritiers et se partagèrent ses domaines :

> 1- à Thierry
> 2- à Childebert I
> 3- à Clotaire I

Sa capitale est Orléans.

 Territoires de Childebert I (511-558) ; sa capitale est Paris.

Territoires ligériens acquis à la mort de Clodomir.

 Territoires de Clotaire I (511-561) : Belgique Première et Toxandrie. Sa capitale est Soissons.

Territoires acquis à la mort de Clodomir.

 Cités du sud-ouest laissées dans l'indivision ou dont l'attribution est inconnue.

 Possessions des Bretons.

 Possessions des Wisigoths (Espagne, Septimanie, Seconde Narbonnaise).

La conquête du Royaume Burgonde (534).

 Après la bataille de Vézeronces, en 524, le Royaume Burgonde mis dix ans à s'effondrer (mort du roi Godomar en 534).
Les héritiers de Clovis procédèrent à un partage :

> 1- territoires revenant à Théodebert, fils de Thierry
> 2- territoires revenant à Childebert I
> 3- territoires revenant à Clotaire I.

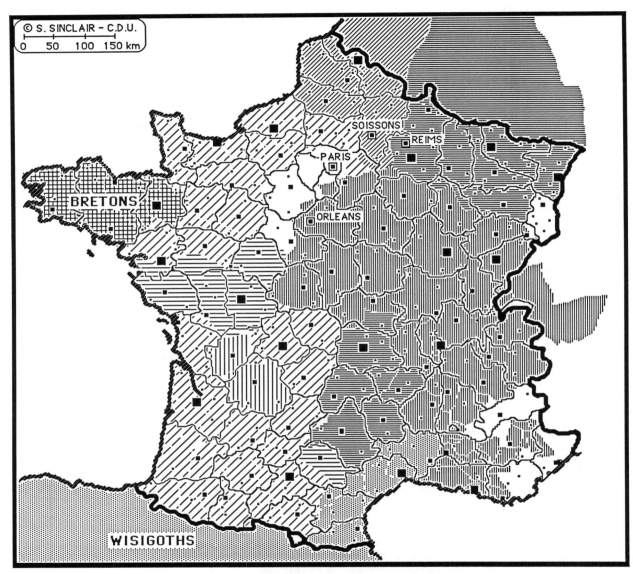

LE PARTAGE DE 561 ET SES SUITES:
561-567.

LEGENDE

Clotaire réunit tous les royaumes hérités de Clovis et conquis, en 555 (mort du dernier héritier de Thierry, Théodebald) puis en 558 (mort de Childebert).
Comme de coutume, il partagea ses domaines entre ses fils (561) ; mais dans ce partage on voit poindre la division classique entre Neustrie, Austrasie et Bourgogne.

Le partage de 561.

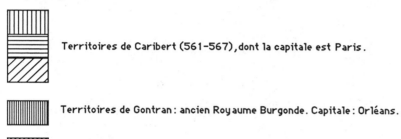

Territoires de Caribert (561-567), dont la capitale est Paris.

Territoires de Gontran : ancien Royaume Burgonde. Capitale : Orléans.

Territoires de Chilpéric, base de la Neustrie ; capitale : Soissons.

Territoires de Sigebert, base de l'Austrasie ; capitale : Reims.
on a conservé au roi de Reims les territoires auvergnats, autrefois conquis par Thierry.

Le partage à la mort de Caribert, en 567.

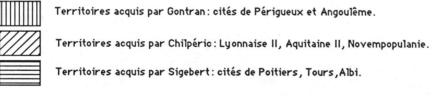

Territoires acquis par Gontran : cités de Périgueux et Angoulême.

Territoires acquis par Chilpéric : Lyonnaise II, Aquitaine II, Novempopulanie.

Territoires acquis par Sigebert : cités de Poitiers, Tours, Albi.

Possessions des Bretons

Possessions des Wisigoths, désormais réduites à la Septimanie et à l'Espagne.

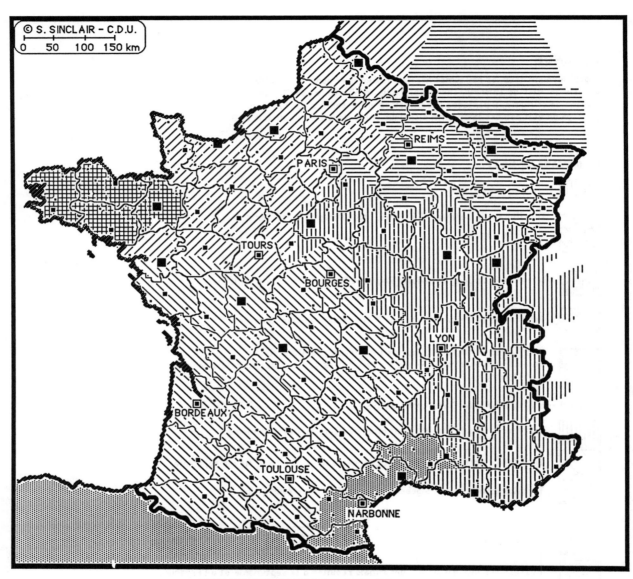

LES PROVINCES FRANQUES
AU DEBUT DU VII° siècle.

LEGENDE

C'est Dagobert qui établit définitivement les limites des provinces franques de Neustrie, Austrasie, Bourgogne, qui étaient cependant en germe dans les partages du VI° s. et les luttes qui avaient opposé Sigebert, Gontran et Chilpéric.

 629 : Dagobert établit son frère Caribert comme roi d'Aquitaine pour s'opposer aux attaques des Vascons. Caribert meurt en 632 et son royaume est réuni aux possessions royales; les Vascons firent leur soumission contre reconnaissance d'un duc national (637) qui se montra vite indépendant.

 633 : Dagobert opère un pré-partage en faveur de son fils Sigebert, alors agé de trois ans : il lui accorde l'Austrasie, avec Reims pour capitale et des territoires méridionaux que nous n'avons pas représentés car leur possession par un prince mérovingien est très hypothétique au VII° s . et les terres auvergnates sont plutôt rattachées au royaume d'Aquitaine.

 634 : Dagobert établit son second fils, Clovis II, comme roi de Neustrie et Bourgogne.
Par la suite, ces deux royaumes se séparèrent, au gré des luttes qui opposèrent les Maires du Palais au VIII° s.

 Possessions des Bretons.

 Possessions des Wisigoths (Espagne et Narbonnaise).

Bernard d'Italie	LOTHAIRE	PÉPIN d'Aquitaine	LOUIS	
817: confirmation	817: Empereur associé	817 + Autun, Avallon, Toulouse, Marche d'Esp.	817 + Carinthie, Bohême, Marches des Avars, Slaves	
818: trahison et mort de Bernard	818: + Italie	id.	id.	**CHARLES**
id.	id.	id.	823: dotation de Charles Allamanie, Alsace, Rhétie.
La révolte de Lothaire contre son père se termina par l'Assemblée d'Aix de 831 qui procède au partage de l'Empire. 831: cantonné à l'Italie; perte du titre d'Empereur associé.	831: + "contrées entre Loire et Seine"	831: + Austrasie, Saxe, Frise, Pays-Bas Neustrie septentr.	831: + Reims, Laon, Bourgogne, Gothie, territoires mosellans.
La révolte des fils de Louis le Pieux permet le partage de l'Empire entre les 3 fils du premier lit. 833: Lothaire reste seul Empereur		id.	833: + territoires de Charles	833: perd tous ses territoires
Le retour de Louis le Pieux à l'Assemblée d'Aix-la-Chapelle 837. 837: disgrace et cantonné à l'Italie	837: + Ponthieu, Amienois, Noyon, Soissons, Brie.	837: + Pays rhénans – Frise, Rhétie	837: +Alamanie, Bourgogne du N. Neustrie, Rhétie.
id.	838: perd les terres acquises en 837. † 838	838: – Alamanie, Saxe Thuringe.	838: couronnement à Quierzy-sur-Oise. + terres entre Loire et Seine.
La mort de Pépin d'Aquitaine en 838 puis celle de Louis le Pieux en juin 840 relancèrent la lutte entre les frères; elle prit temporairement fin au traité de Verdun d'août 843.	<u>éphémère renouveau du ROYAUME D'AQUITAINE sous Pépin III (838, 845, 852)</u>	déshérité	838: + Royaume d'Aquitaine

FRANCIA MEDIA

† LOTHAIRE 855

| LOUIS II 855–879 Italie Empereur | Lothaire II 855–869 Lotharingie | CHARLES 855–863 Provence |

FRANCIA ORIENTALIS

FRANCIA OCCIDENTALIS
Le royaume d'Aquitaine est définitivement annexé en 852.

863: mort de Charles de Provence et partage de ses territoires entre Louis II et Lothaire II.

856: Louis détrone Charles et conquiert la Francia Occidentalis.
858: Louis doit abandonner sa conquête face à l'opposition du clergé (Hincmar) et au retour de Charles.

869: mort de Lothaire II.
870: partage de la Lotharingie entre Louis le Germanique et Charles le Chauve (traité de Meersen)

fin de la FRANCIA MEDIA

875: mort de Louis II; le pape Jean VIII appelle Charles le Chauve dans l'Italie alors menacée par les Musulmans; il lui accorde aussi le titre impérial.

février 876: roi d'Italie
juin 876: Ponthion: Empereur échec dans l'invasion de la Francia Orientalis (Andernach face à Louis le Jeune) puis dans celle de l'Italie face à Carloman († dans les Alpes).
octobre 877: mort de Charles

† août 876

| CARLOMAN 876–880 Bavière, Bohême, Est | LOUIS le JEUNE 876–882 Franconie, Saxe, Frise, Thur. | CHARLES le GROS 876–888 Alémanie, Souabe, Rhétie |

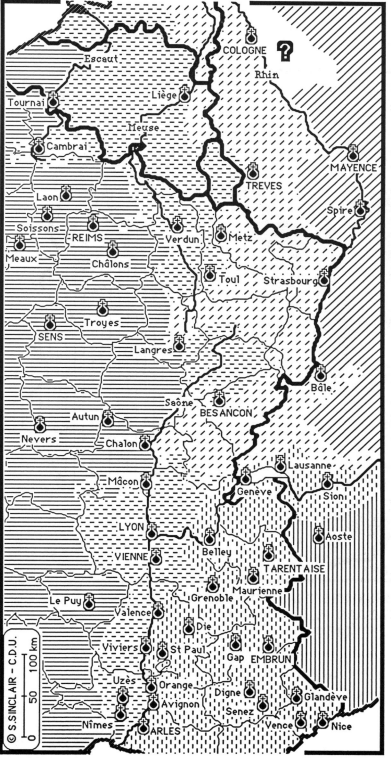

LE PARTAGE DE VERDUN ET SES SUITES: 843-870.

LEGENDE

🔔 Archevêché, évêché.

❓ Attribution inconnue

843: partage de Verdun

à Lothaire I°

à Louis le Germanique

à Charles le Chauve

attribution inconnue

870: partage de Meerssen

à Louis le Germanique

à Charles le Chauve

extension du royaume de Louis II

© S.SINCLAIR - C.D.U.

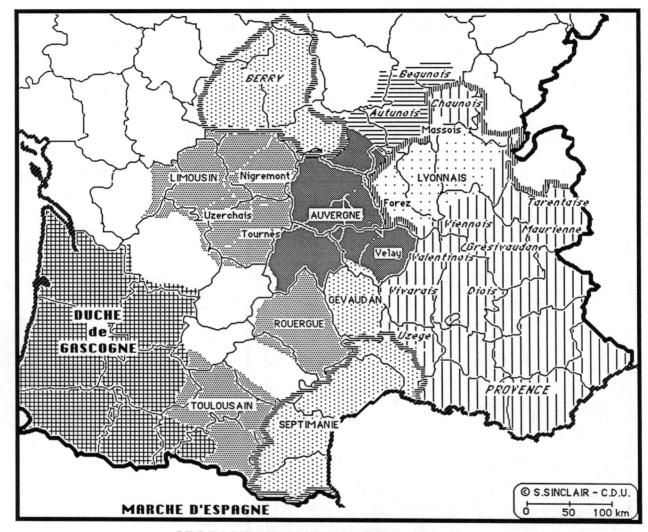

LES POSSESSIONS TERRITORIALES DE
BERNARD PLANTEVELUE
(869-886)

LEGENDE :

Honores primitifs de Bernard (869).

Attribués par Charles le Chauve : Auvergne et probablement Velay.

Les conquêtes de Bernard (872-877).

Bernard acquiert, en 872 : le Toulousain, le Limousin, le Rouergue.

La loyauté de Bernard à l'égard des carolingiens lui permet de rassembler de vastes honores.

Les années 867/877 avaient été le théâtre de nombreuses luttes pour l'hégémonie dans l'ancien royaume d'Aquitaine ; deux personnages s'étaient distingués : Wilfred le Velu qui tenait la Marche d'Espagne ET BERNARD DE GOTHIE qui avait acquis le Berry et l'Autunois et tenait la Gothie ou Septimanie. Ce dernier ne reconnut pas Louis le Bègue.

En outre, BOSON, dont les territoires s'étendaient des contreforts du Jura à la Méditerranée (Bourgogne Transjurane) se fit élire roi de Bourgogne à Mantaille en 879.

Au contraire, Bernard Plantevelue profita des derniers feux de l'autorité carolingienne pour assoir son pouvoir :
878 : Louis lui attribue les honores de Bernard de Gothie : Berry et Septimanie

880 : Louis, que Bernard a aidé contre Boson lui donne certains de ses honores : Lyonnais, Massois, Forez.

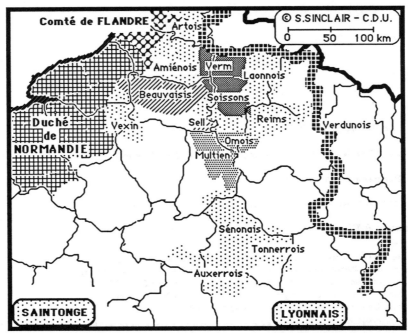

LES TERRITOIRES D'HERBERT II DE VERMANDOIS
(900-945)

LEGENDE :

⬚⬚⬚ limite du traité de Verdun (843)

Les comtés hérités d'HERBERT I (mort en 900)

896 : Vermandois ; St Quentin
898 : Soissonnais ; St Crépin, St Médard de Soissons.

dot d'Adèle et alliances lignagères

dot d'Adèle : Meaux (Multien) ; acquisition de l'Omois (Chateau-Thierry)

alliances lignagères avec les comtes de : Beauvais
                                          Senlis

Les conquêtes d'Herbert II

925 : son fils Hugue (5 ans) monte sur le siège archiépiscopal de Reims
926 : conquête temporaire du Vexin et de l'Amiénois (disputé au comte de
       Flandre qui les reconquiert en 940)
927 : conquête de l'Artois (disputé au comte de Flandre qui le reconquiert
       en 932)
941 : conquête des confins bourguignons : Sens
                                          Auxerre
                                          Tonnerre
<u>Grands honores</u> : Viennois, Saintonge, en Verdunois (hommage de 931)

42

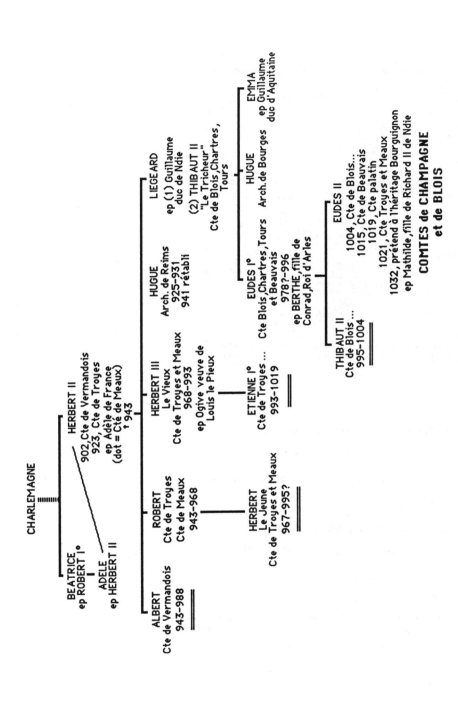

CHARLEMAGNE

BEATRICE
ep ROBERT I°

ADELE
ep HERBERT II

HERBERT II
902, Cte de Vermandois
923, Cte de Troyes
ep Adèle de France
(dot = Cté de Meaux)
† 943

ROBERT
Cte de Troyes
Cte de Meaux
943-968

ALBERT
Cte de Vermandois
943-988

HERBERT
Le Jeune
Cte de Troyes et Meaux
967-995?

HERBERT III
Le Vieux
Cte de Troyes et Meaux
968-993
ep Ogive veuve de
Louis le Pieux

HUGUE
Arch. de Reims
925-931
941 rétabli

LIEGEARD
ep (1) Guillaume
duc de Ndie
(2) THIBAUT II
"Le Tricheur"
Cte de Blois, Chartres,
Tours

ETIENNE I°
Cte de Troyes ...
993-1019

EUDES I°
Cte de Blois, Chartres, Tours
et Beauvais
978?-996
ep BERTHE, fille de
Conrad, Roi d'Arles

HUGUE
Arch. de Bourges

EMMA
ep Guillaume
duc d'Aquitaine

THIBAUT II
Cte de Blois...
995-1004

EUDES II
1004, Cte de Blois...
1015, Cte de Beauvais
1019, Cte palatin
1021, Cte Troyes et Meaux
1032, prétend à l'héritage Bourguignon
ep Mathilde, fille de Richard II de Ndie

COMTES de CHAMPAGNE
et de BLOIS

LA FAMILLE HERBERTIENNE
aux X°-XI° siècles

43

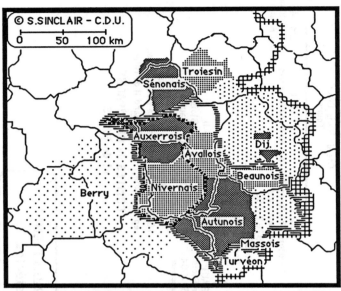

LES ORIGINES DU DUCHE DE BOURGOGNE
X°-XI° siècles

LEGENDE :

Le duché sous RICHARD LE JUSTICIER (887-920)

possessions patrimoniales de Richard : Sens, Auxerre, Autun, Dijon

Acquisitions de Richard : Troyes, Avallon, Nevers, Beaune

Comtés vassaux sous Richard

Les accroissements sous RAOUL (924-936)

accroissements temporaires sous Raoul : Berry, Massois (Mâcon), Turvéon

Le duché Robertien puis Capétien

Limites du duché à la mort d'Henri (1002)

Auxerre et Nevers sont retirés au duché lors de sa reconstitution en faveur de Robert le Vieux (1032) et deviennent vassaux du Roi de France.

limite du Traité de Verdun.

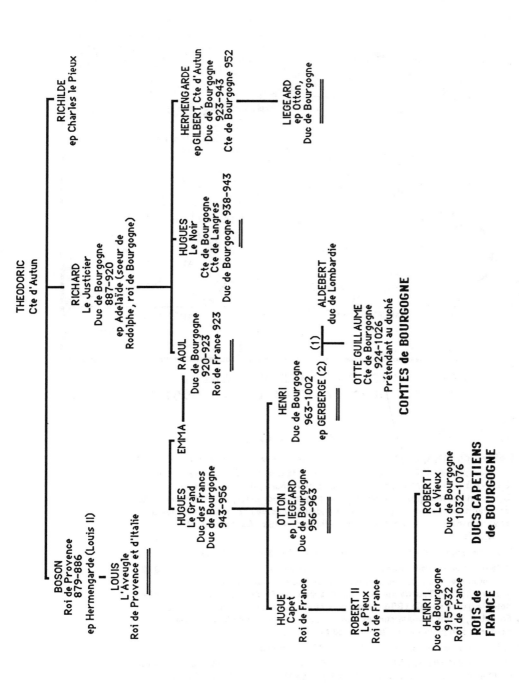

THEODORIC
Cte d'Autun

RICHILDE
ep Charles le Pieux

BOSON
Roi de Provence
879-886
ep Hermengarde (Louis II)

LOUIS
L'Aveugle
Roi de Provence et d'Italie

RICHARD
Le Justicier
Duc de Bourgogne
887-920
ep Adélaïde (soeur de
Rodolphe, roi de Bourgogne)

HERMENGARDE
epGILBERT, Cte d'Autun
Duc de Bourgogne
923-943
Cte de Bourgogne 952

LIEGEARD
ep Otton,
Duc de Bourgogne

RAOUL
Duc de Bourgogne
920-923
Roi de France 923

HUGUES
Le Noir
Cte de Bourgogne
Cte de Langres
Duc de Bourgogne 938-943

EMMA

HUGUES
Le Grand
Duc des Francs
Duc de Bourgogne
943-956

HENRI
Duc de Bourgogne
963-1002
ep GERBERGE (2)

ALDEBERT
duc de Lombardie
(1)

OTTE GUILLAUME
Cte de Bourgogne
924-1026
Prétendant au duché

COMTES de BOURGOGNE

OTTON
ep LIEGEARD
Duc de Bourgogne
956-963

HUGUE
Capet
Roi de France

ROBERT II
Le Pieux
Roi de France

ROBERT I
Le Vieux
Duc de Bourgogne
1032-1076

DUCS CAPETIENS
de BOURGOGNE

HENRI I
Duc de Bourgogne
915-932
Roi de France

ROIS de
FRANCE

LES HERITAGES DE BOURGOGNE
X°-XI° siècles

45

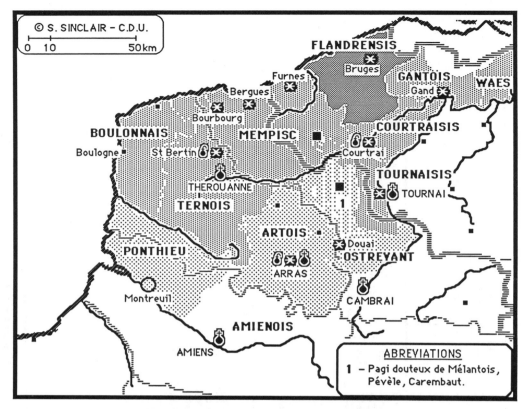

LES ORIGINES DU COMTE DE FLANDRE:
DE BAUDOUIN I° à ARNOUL I° (866-965)

LEGENDE:

❊ Castrum comtal. 🛡 Abbaye importante. 🛡 Evêché. **ARTOIS** nom de pagus.

Les territoires du Marquisat de Flandre au temps de Baudouin I° (866-879).

La nécessité de défendre le nord de la Francia Occidentalis poussa Charles le Chauve à créer la Marche ou Marquisat de Flandre; il en investit son gendre Baudouin; ce marquisat comprenait le pagus Flandrensis, ici seul représenté car véritable assise du pouvoir de Baudouin Bras de Fer, mais aussi les pagi environnants: Waes, Gantois, Tournaisis, Mempisc, Carembaut, Pévèle, Mélentois.

L'édification du comté de Flandre sous Baudouin II (879-918).

A la mort du marquis Raoul qui était chargé de défendre la Picardie, en 892, Baudouin s'empara de ses territoires: comté de Boulogne (896), comté de Ternois (900), Tournaisis mais sans la ville de Tournai qui fut alors placée sous la garde royale (898). Il conquit temporairement l'Artois (892-899). En outre, il mit la main sur les comtés septentrionaux de Waes et Gantois et conforta son pouvoir sur le pagus de Mempisc.

Les conquêtes méridionales sous Arnoul I° le Grand (918-965).

Il annexa définitivement l'Artois en 931, le Ponthieu vers 940, avec la ville de Montreuil sur Mer qui appartenait jusque là au roi de France (douaire de Suzanne de Flandre, femme de Robert II le Pieux; 948); il conquit Mortagne et Douai puis l'Ostrevant (vers 943-952); les pagi de Carembaut, Pévèle, Mélantois furent peut être conquis dès Baudouin II.

46

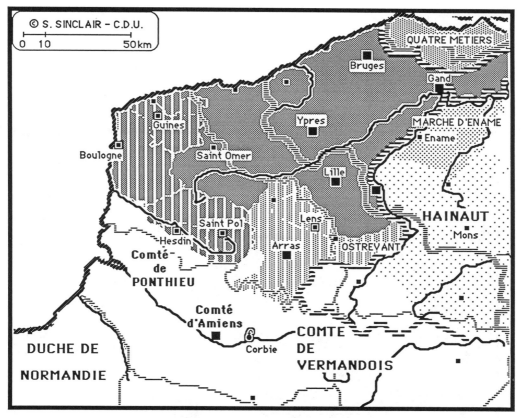

LE COMTE DE FLANDRE AU XI° s.
(de 965 à 1071)

LEGENDE:

La dissociation territoriale et les pertes sous Arnoul II (964-988).

Après la mort d'Arnoul I° et celle, prématurée, de son fils Baudouin III, le comté connut une période de régence : le roi Lothaire se rendit maître de l'Artois et de l'Ostrevant et ne les rendit que lors de la majorité d'Arnoul II. Montreuil sur Mer, qui commandait l'embouchure de la Canche fut perdue en 981.

En outre, cette crise permit l'éclosion de comtés indépendants dans le sud de la principauté flamande qui minèrent durablement ses tentatives d'expansion méridionale : comtés de Boulogne (962), de Ternois (962), de Guines (avant 988, par démembrement du comté de Boulogne), de Saint Pol (avant 1032), de Hesdin (1065 ; probablement vassal du comte de Boulogne).

L'expansion de la principauté flamande en terres impériales au XI° siècle.

Cette dissociation féodale menaçait l'équilibre de la principauté, alors cantonnée sur les terres marécageuses de la plaine flamande : un effort d'aménagement se fit jour (fondation de Lille, foires de Flandre, poldérisation), soutenu par la conquête de nouvelles terres, dans l'Empire cette fois :

Baudouin IV (988-1035) conquit l'Ostrevant (1012-1013 ; restitué au comte de Hainaut sous Baudouin V) ; les terres septentrionales de Walcheren et des Quatre Métiers (c. 1018).

Baudouin V (1035-1067) restitua l'Ostrevant à Hermann de Hainaut et reçut en échange la Marche d'Ename (1047).

Son successeur Baudouin VI épousa Richilde de Hainaut : il gouverna le Hainaut jusqu'à sa mort en 1070 ; la crise qui éclata alors provoqua la séparation des deux comtés.

47

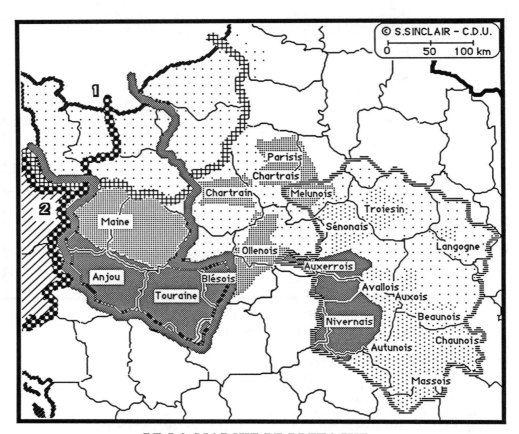

**DE LA MARCHE DE BRETAGNE
AU DUCHE DE FRANCE
(IX°-X° siècles)**

La menace bretonne et la constitution de la MARCHE DE BRETAGNE

Comté de Bretagne à la fin du X°s.

1 limites du comté en 876 (extension maximale sous Salomon).

2 limites du comté en 851 puis de nouveau à la fin du X°s.

Marche de Bretagne reconstituée au profit de Robert le Fort (852).

ROBERT LE FORT (852-866) & EUDES (866-886)

Marche de Bretagne reconstituée au profit de Robert le Fort (852).

Missaticum de Robert (852)
A la mort de Robert (Brissarthe 866) son missaticum est cédé au Welf Hugues l'Abbé; à la majorité du fils ainé de Robert, Eudes, Charles le Gros l'en dédommage par la cession de : | Auxerre
| Nevers (878)

Mais Eudes récupère les honores paternels à la mort d'Hugues l'Abbé, en 886.

ROBERT (887-923)

après son élection royale Eudes cède ses comtés à Robert, son frère qui tient Paris.

pour prix de son ralliement à Charles le Simple, Robert obtient de celui-ci Le Mans, Orléans, Melun, Chartres.
ainsi que l'autorité éminente en Neustrie.

HUGUES LE GRAND (923-956)

943 : succession d'Herbert II de Vermandois:
    Hugues en est désintéressé par les titres creux de :
                    -Duc des Francs
                    -Duc de Bourgogne
    ainsi que par la cession de Melun (Herbert II l'avait acquis du fait de son mariage avec Liégeard, soeur d'Hugues).

Autorité de fait sur toute la Neustrie : 965 - hommage de Richard I° duc de Normandie.

956 : succession de Bourgogne:

Limites de la Bourgogne

déjà implanté à Sens (famille vicomtale alliée), Hugues obtient de Gilbert la cession de Autun
                Chalon
                Avallon
                Dijon & Mâcon

Chapitre III

Le Moyen Age classique :
de la deuxième dissociation territoriale
à l'affermissement du domaine royal

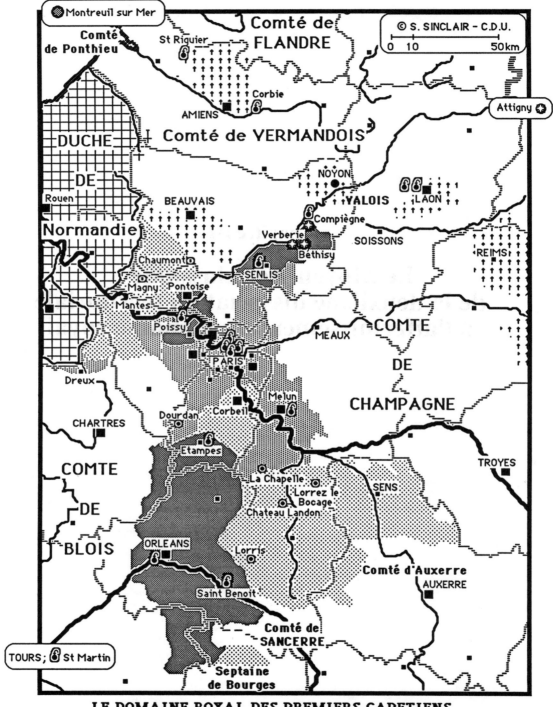

LE DOMAINE ROYAL DES PREMIERS CAPETIENS
987-1127

52

LEGENDE

✪, 🔒 Fisc royal; abbaye royale; les évêchés royaux sont en majuscules (ex. LAON)

Le domaine royal à l'avènement d'Hugue Capet 987.

Domaine très restreint et peu cohérent: on y distingue trois groupes:
- Le comté d'Orléans qui comprend les chatellenies d'Etampes et Dourdan.
- La chatellenie de Poissy (pagus de Pincerais).
- Le comté de Senlis (pagus de Sellentois) avec des fiscs royaux carolingiens (Compiègne, Verberie, Béthisy).
- La chatellenie de Montreuil-sur-Mer, à l'embouchure de la Canche, enlevée au comte de Flandre par Hugue, en 981, alors qu'il n'était que duc des Francs, attribuée en douaire à Suzanne de Flandre, femme de Robert II le Pieux.
- Le fisc royal d'Attigny sur l'Aisne.

Le domaine sous Robert II le Pieux.

Règne assez fécond mais les principaux accroissements territoriaux ne seront pas maintenus par son successeur, Henri I°.
- 1016: mort de l'évêque de Paris, Renaud de Vendôme, qui tenait de son père, Bouchard, les comtés de Vendôme, de Melun et de Paris; Vendôme échappa au roi, Melun fut réuni; on ne sait pas bien ce qu'il en fut du comté de Paris dont mouvaient de nombreuses seigneuries (Montlhéry, Corbeil, Tournan ...)
- Lors des luttes de succession de Bourgogne, Robert conquit le comté de Sens sur Renaud II; les deux ennemis se mirent d'accord: Renaud posséderait son comté viagèrement et à sa mort, l'archevêque et le roi se partageraient le comté; cette mort n'intervint qu'en 1055.
- La succession d'Etienne de Troyes et Meaux se résolut au profit de Eudes II de Blois; Robert II protesta et combattit Eudes mais ne put obtenir en compensation que le comté de Dreux (1023).

Le domaine sous Henri I°, Philippe I° et Louis VI.

Le règne d'Henri I° est catastrophique: sa mère Constance le contraignit à aliéner le duché de Bourgogne en faveur de son cadet Robert qui lui avait disputé la couronne; en échange, Robert dut accepter que Auxerre et Nevers entrent dans la mouvance directe de la royauté. Seule acquisition – prévue depuis 1015 – le comté de Sens fut partagé avec l'archevêque (1055).
Enfin, Corbie fut aliénée en faveur d'Alais, sa soeur qui épousa le comte de Flandre Baudouin VI.

Le règne de Philippe I° montre un redressement de la puissance du roi: il intervient dans les crises de successions qui minent alors les principautés territoriales et en retire des avantages:
- lors de la crise qui oppose Foulque le Réchin à Geoffroy le Barbu pour le comté d'Anjou, Philippe se fit céder le comté de Gâtinais avec les chatellenies de Chateau-Landon, Lorris, Lorrez-le-Bocage et La-Chapelle-la-Reine.
- il profita des troubles en Flandre (Arnoul III contre Robert le Frison) pour récupérer la seigneurie de Corbie (1074).
- 1074: à la mort de Simon, comte de Valois, Vexin, Amiénois, Montdidier, Vitry et Bar sur Aube, son fils Raoul entra en religion et laissa au roi le comté de Vexin (Vexin Français) avec Pontoise, Mantes et Magny; les rois de France tinrent dès lors ce comté de l'abbaye de Saint Denis.

D'autre part le frère cadet du roi épousa l'héritière du comté de Vermandois, Alix, ce qui assura la sécurité du domaine au nord.
La seule aliénation du règne fut celle d'Attigny, cédée comme dot à Constance qui épousa le comte de Troyes Hugues.

Le règne de Louis VI ne vit pas d'acquisition spectaculaire, à part la vicomté ou septaine de Bourges, acquise de Eudes Harpin lors de son départ pour la croisade (1101): Louis affermit son domaine en luttant contre les petits seigneurs qui en minaient la cohésion; à l'occasion de ces luttes il obtint: le comté de Corbeil, le nord du Gatinais (Moret, Chambon, Yèvres etc.).

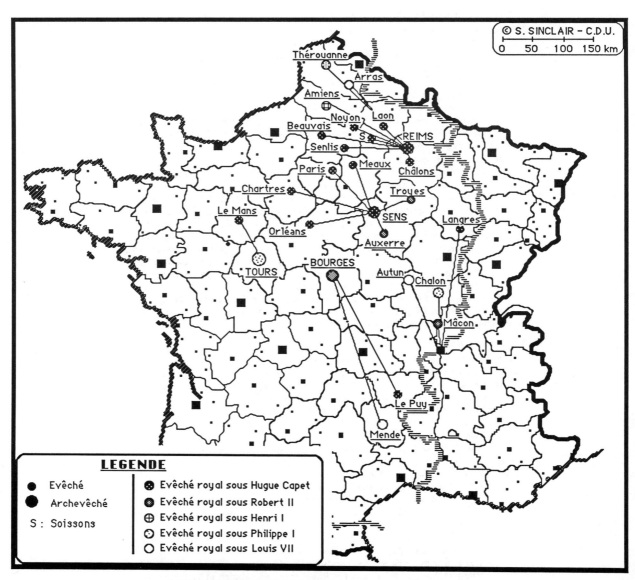

LES EVECHES ROYAUX X°-XII° siècles

LES EVECHES ROYAUX
(X°-XII° s)

HUGUE CAPET	ROBERT II	HENRI I	PHILIPPE I	LOUIS VI	LOUIS VII
BELGIQUE 2					
REIMS	REIMS	REIMS	REIMS	REIMS	REIMS
Laon	Laon	Laon	Laon	Laon	Laon
Noyon	Noyon	Noyon	Noyon	Noyon	Noyon
Soissons	Soissons	Soissons	Soissons		Soissons
Senlis	Senlis	Senlis	Senlis		
Beauvais	Beauvais		Beauvais		
	Châlons				Châlons
		Thérouanne			
			Amiens		
					Arras
LYONNAISE 1					
Langres	Langres	Langres			Langres
	Mâcon	Mâcon	Mâcon		
			Chalon		
					Autun
LYONNAISE 3					
Le Mans	Le Mans	Le Mans			
			TOURS	TOURS	TOURS
LYONNAISE 4					
SENS	SENS	SENS	SENS	SENS	SENS
Paris	Paris	Paris	Paris	Paris	Paris
Orléans	Orléans	Orléans	Orléans		Orléans
Chartres	Chartres	Chartres	Chartres		Chartres
Meaux	Meaux	Meaux	Meaux		Meaux
	Auxerre	Auxerre	Auxerre	Auxerre	Auxerre
	Troyes	Troyes			
AQUITAINE 1					
Le Puy	Le Puy	Le Puy		Le Puy	Le Puy
	BOURGES				BOURGES
					Mende

Ce tableau est inspiré de l'ouvrage de NEWMANN et corroboré par les travaux de PACAUT qui donne pour attestés des évêchés douteux selon NEWMANN. (cf Bibliographie)

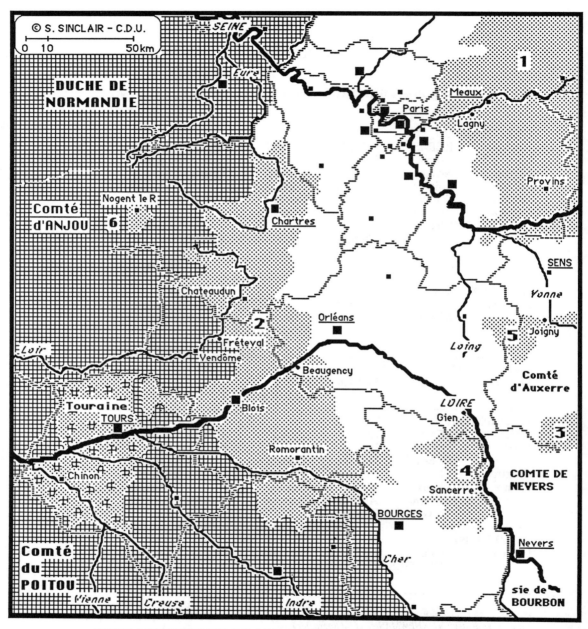

THIBAUDIENS ET PLANTAGENETS AU XII° siècle:
l'encerclement du domaine royal capétien

LEGENDE:

 Domaines des Thibaudiens

    1 –Comté de Champagne et de Brie.

    2 –Comté de Blois et partie de la Touraine dont l'hommage est dû par le comte d'Anjou.

    3 –fiefs bourguignons et en Nivernais (St Sauveur, Chatel-Censoir, Druyes...).

    4 –Comté de Sancerre.

    5 –Comté de Joigny.

    6 –vassalité du comte du Perche, c'est à dire Henri II Plantagenet, pour le comté de Nogent-le-Rotrou.

Domaines des Plantagenets après le mariage de 1152

Vicomté de Tours, annexée par Geoffroy Martel en 1044; le duc d'Anjou, c'est-à-dire Henri II Plantagenet à cette période, doit l'hommage au comte de Blois (reste tout théorique).

Domaine royal capétien vers 1160.

COMTE DE NEVERS   Autre fief mouvant de la Couronne

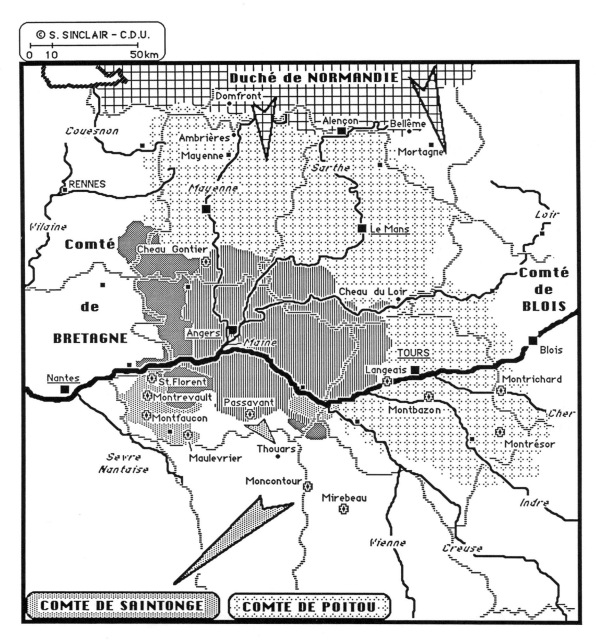

LE COMTE D'ANJOU AUX X° ET XI° siècles:
l'oeuvre de FOULQUE NERRA et GEOFFROY MARTEL

LEGENDE:

▦ Pagus Andecavensis à l'époque carolingienne.

▦ Accroissements territoriaux des premiers Enjeujeriens.

▦ Accroissements sous Foulque Nerra (987-1040)
- Mauges
- Saumurois
- Saintonge
- vicomté de Tours conquise temporairement.

▩ Chateau frontalier édifié par Foulque Nerra

▦ Accroissements sous Geoffroy Martel :
- vicomté de Tours (1044 ; vassalité théorique dûe au comte de Blois.)
- suzeraineté de fait sur le duché d'Aquitaine
  (Geoffroy épouse la veuve du duc Guillaume, Agnès de Bourgogne).
- comté du Maine (c1048-1050).

▦ Duché de Normandie : contestations sur :
- le comté du Perche.
- les chatellenies appartenant à la famille de Bellême : Alençon, Ambrières.
- le comté du Maine (alliance avec le comte Hubert II en 1058).

59

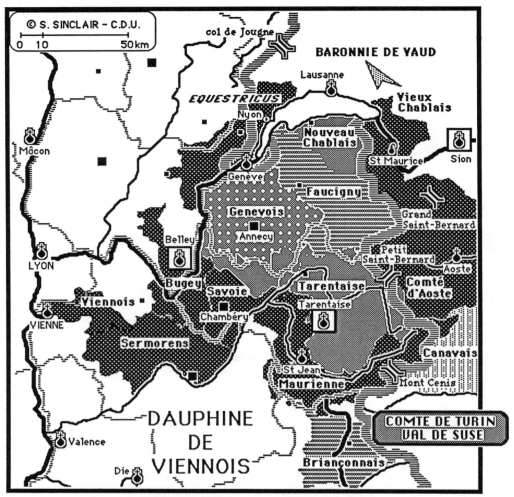

LES DEBUTS DU COMTE DE MAURIENNE
XI-XIII° siècles

LEGENDE

 Evêché ; Abbaye importante ; Col ; [] Evêché sous controle comtal au XIII° s.

SAYOIE nom de pagus

▓ Territoires tenus par Humbert I° Blanchemains (état vers 1020)

▓ Territoires acquis sous Humbert II et Amédée III

▓ Territoires vassalisés sous Humbert II et Amédée III

▓ Le comté de Genevois passe sous la tutelle effective d'Humbert II

▓ Avancées au nord du Léman sous Thomas I° (Baronnie de Vaud)

▓ Vassalisation du comté d'Aoste (Castellamonte et Canavais)

60

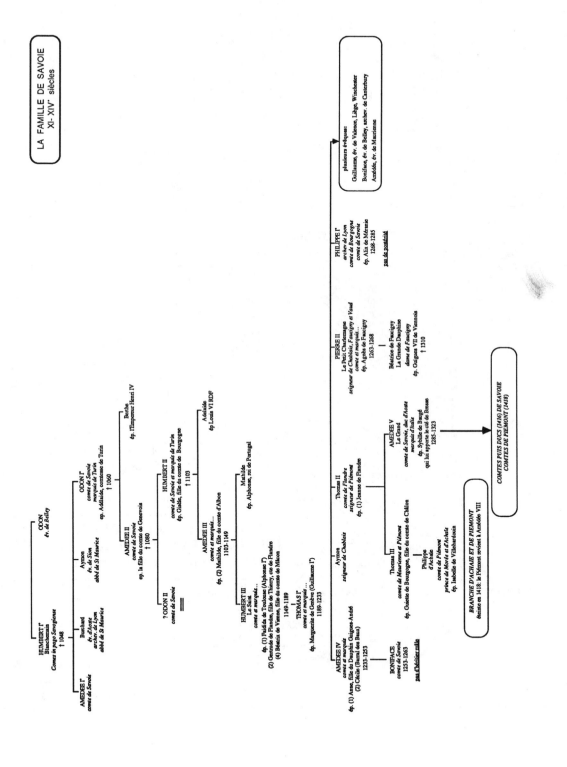

LA FAMILLE DE SAVOIE
XIe- XIVe siècles

HUMBERT Ier
Blanchemain
Comes in pago Savoyiense
† 1048

ODON
év. de Belley

AMEDEE Ier
comte de Savoie

Burchard
év. d'Aoste
archev. de Lyon
abbé de St Maurice

Aymon
év. de Sion
abbé de St Maurice

ODON Ier
comte de Savoie
marquis de Turin
ép. Adélaïde, comtesse de Turin
† 1060

AMEDEE II
comte de Savoie
ép. la fille du comte de Genevois
† 1080

Berthe
ép. l'Empereur Henri IV

? ODON II
comte de Savoie

HUMBERT II
comte de Savoie et marquis de Turin
ép. Gisèle, fille du comte de Bourgogne
† 1103

AMEDEE III
comte et marquis...
1103-1149
ép. (2) Mathilde, fille du comte d'Albon

Adélaïde
ép. Louis VI RDF

Mathilde
ép. Alphonse, roi de Portugal

HUMBERT III
Le Saint
comte et marquis...
1149-1189
ép. (1) Faidida de Toulouse (Alphonse Ier)
(2) Gertrude de Flandre, fille de Thierry, cte de Flandre
(4) Béatrix de Vienne, fille du comte de Mâcon

THOMAS Ier
comte et marquis...
1189-1233
ép. Marguerite de Genève (Guillaume Ier)

AMEDEE IV
comte et marquis
ép. (1) Anne, fille du Dauphin Guigues-André
(2) Cécile (Barral des Baux)
1233-1253

Aymon
seigneur de Chablais

Thomas II
comte de Flandre
seigneur de Chablais
ép. (1) Jeanne de Flandre

PIERRE II
Le Petit Charlemagne
seigneur de Chablais, Faucigny et Vaud
comte et marquis...
ép. Agnès de Faucigny
1263-1268

PHILIPPE Ier
archev. de Lyon
comte de Bourgogne
comte de Savoie
ép. Alix de Méranie
1268-1285
pas de postérité

plusieurs évêques:
Guillaume, év. de Valence, Liège, Winchester
Boniface, év. de Belley, archev. de Canterbury
Amédée, év. de Maurienne

BONIFACE
comte de Savoie
1253-1263
pas d'héritier mâle

Thomas III
comte de Maurienne et Piémont
ép. Guiote de Bourgogne, fille du comte de Châlon

AMEDEE V
Le Grand
comte de Savoie, duc d'Aoste
marquis d'Italie
ép. Sybille de Baugé
qui lui apporte la cté de Bresse
1285-1323

Béatrice de Faucigny
La Grande Dauphine
dame de Faucigny
ép. Guigues VII de Viennois
† 1310

Philippe
d'Achaïe
comte de Piémont
prince de Morée et d'Achaïe
ép. Isabelle de Villehardouin

BRANCHE D'ACHAIE ET DE PIÉMONT
éteinte en 1418: le Piémont revient à Amédée VIII

COMTES PUIS DUCS (1416) DE SAVOIE
COMTES DE PIÉMONT

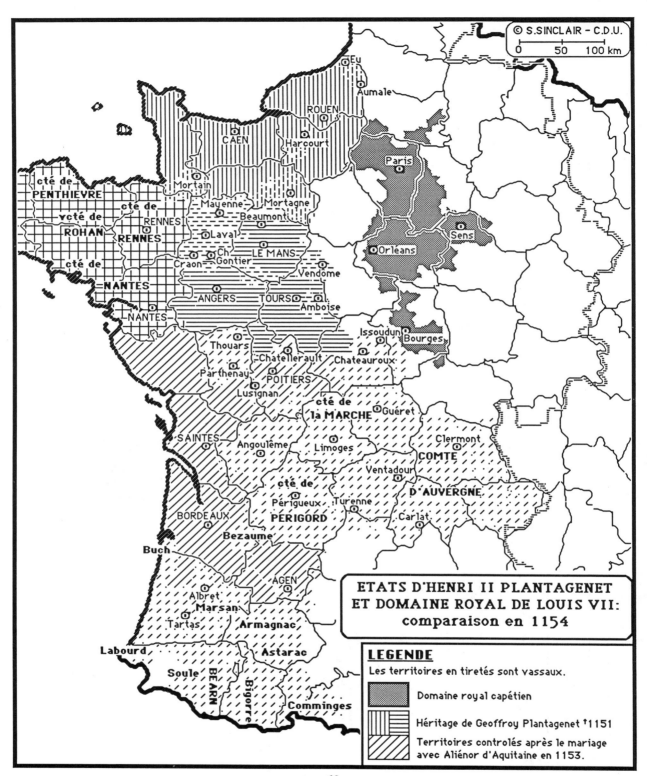

© S.SINCLAIR − C.D.U.

0   50   100 km

Eu
Aumale
ROUEN
CAEN   Harcourt
Paris
Mortain
Mayenne   Mortagne
Beaumont
RENNES   Laval
Sens
Ch   LE MANS
Craon Gontier
Orléans
Vendome
ANGERS   TOURS
NANTES   Amboise
Issoudun
Bourges
Thouars
Chatellerault
Parthenay   Chateauroux
POITIERS
Lusignan
cté de
Guéret
la MARCHE
SAINTES
Angoulême   Limoges   Clermont
Ventadour   COMTE
cté de
Périgueux   Turenne   D'AUVERGNE
BORDEAUX   PÉRIGORD   Carlat
Bezaume
Buch
AGEN
Albret
Marsan
Tartas   Armagnac
Labourd   Astarac
Soule   BÉARN
Bigorre
Comminges

cté de
PENTHIEVRE
cté de
vcté de   RENNES
ROHAN   RENNES
cté de
NANTES

**ETATS D'HENRI II PLANTAGENET
ET DOMAINE ROYAL DE LOUIS VII:
comparaison en 1154**

62

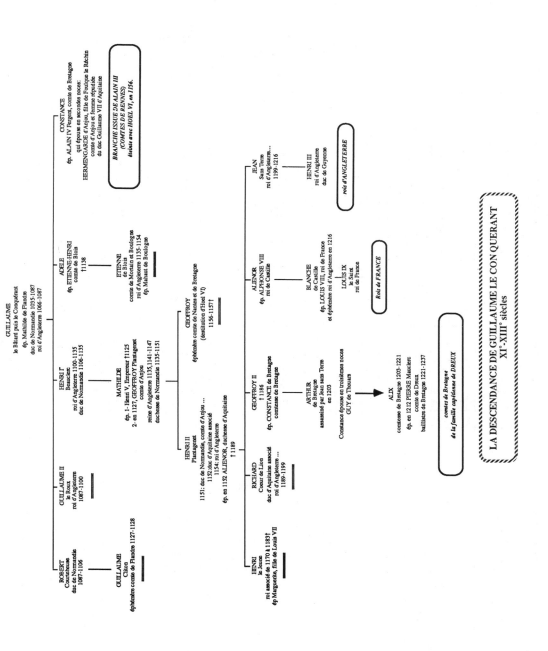

LA DESCENDANCE DE GUILLAUME LE CONQUÉRANT
XIe-XIIIe siècles

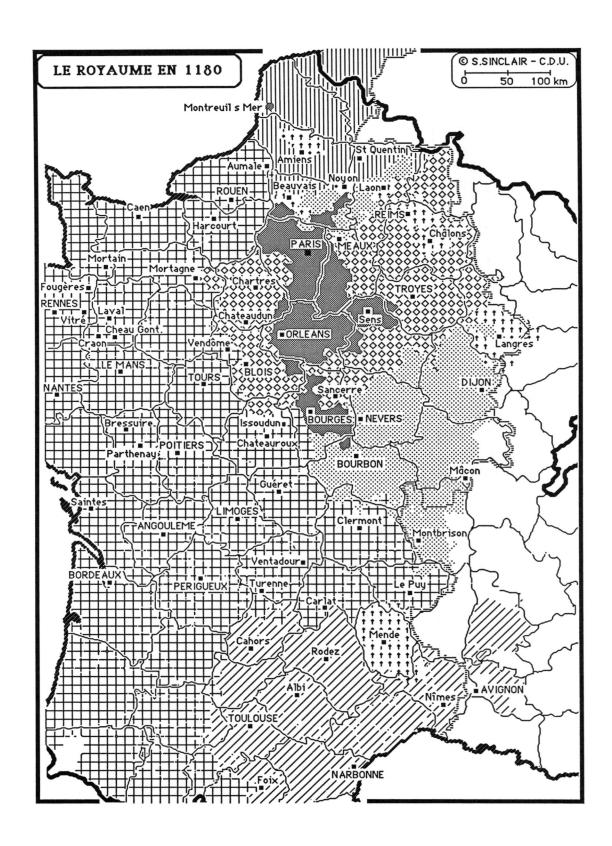

LE ROYAUME EN 1180

© S.SINCLAIR – C.D.U.

0   50   100 km

Montreuil s Mer

Amiens   St Quentin

Aumale   Noyon   Laon

Beauvais   REIMS   Châlons

ROUEN

Caen   MEAUX

Harcourt   PARIS

Mortain   Chartres   TROYES

Mortagne   Sens

Fougères   Chateaudun   DIJON

RENNES   Laval   ORLEANS   Langres

Vitré   Cheau Gont.

Craon   Vendôme   BLOIS

LE MANS   TOURS   Sancerre

NANTES   BOURGES   NEVERS

Bressuire   Issoudun

Parthenay   POITIERS   Chateauroux

BOURBON

Saintes   Guéret   Mâcon

LIMOGES   Clermont

ANGOULEME   Montbrison

Ventadour

BORDEAUX   Turenne   Le Puy

PERIGUEUX   Carlat

Cahors   Mende

Rodez

Albi

TOULOUSE   Nîmes   AVIGNON

Foix   NARBONNE

LEGENDE

Domaine royal en 1180

On n'observe pas d'augmentation substantielle par rapport au domaine de Philippe I° ; les progrès de la royauté se firent plutot en consolidant les fidélités des petits seigneurs de ce domaine (Louis VI) et en multipliant le nombre des évêchés royaux.

Nous n'avons indiqué que les principales villes du domaine royal.

Vassaux du Roi (sauf les fiefs qui suivent).

Les domaines d'Henri II Plantagenet

Nous mêlons domaine direct et terres vassales.

Nous avons indiqué les "capitales" des possessions d'Henri II et les sièges des principales seigneuries vassales. Les seigneuries gasconnes ne sont pas nommées.

Les domaines de la famille de Blois-Champagne

Nous représentons indistinctement les différentes possessions des membres de cette famille : Comté de Champagne et de Brie ; comté de Blois, Chartres, Chateaudun ; comté de Sancerre.

L'archevêché de Reims, tenu par Guillaume aux Blanches Mains, frère du comte de Champagne, permet la vassalisation du comté de Rethel.

Le comté de Toulouse

nous mêlons domaine direct et fiefs.

Le comté de Flandre

Par son mariage avec Isabelle de Vermandois, Philippe d'Alsace s'avance en Picardie et Vermandois.

Principales seigneuries écclésiastiques

Pour la plupart, comtés épiscopaux ; mais aussi seigneuries abbatiales (Corbie).

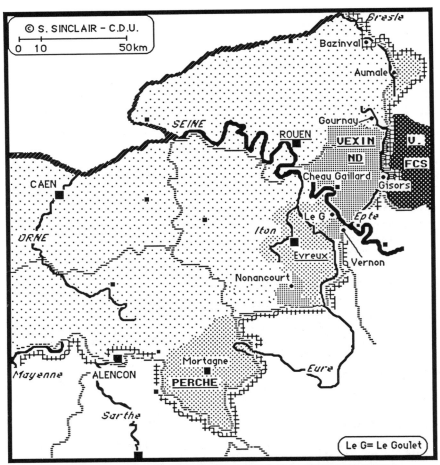

LA CONQUETE PROGRESSIVE DE LA NORMANDIE
PAR LES ROIS DE FRANCE (XII°-XIII° siècles)

LEGENDE

░░░░░ Frontière du duché au XII° siècle.

L'acquisition du Vexin Français; 1077

Le Vexin Français n'était pas compris dans les territoires cédés à Rollon par le traité de Saint-Clair-sur-Epte de 911.
1031-1032: Robert II s'allie avec le duc Robert le Diable et lui cède le Vexin Français.
1040: Henri I° profite des troubles de la minorité de Guillaume le Bâtard pour lui reprendre le Vexin Français.
1074: Simon de Crépy décide de se retirer dans un monastère et cède le Vexin ainsi que la mouvance du comté de Clermont-en-Beauvaisis et le titre d'avoué de Saint-Denis.
1077: Le Vexin Français est rattaché au domaine royal.
Par la suite, Guillaume le Conquérant et ses successeurs tentèrent de reprendre le Vexin Français: bataille de Mantes de 1087, au cours de laquelle Guillaume trouva la mort; bataille de Chaumont-en-Vexin par laquelle le Prince Louis affermit définitivement la possession du Vexin; en 1101, Louis est fait gouverneur du Vexin et son règne se passera à consolider les domaines situés entre le Pincerais et le Vexin.

L'acquisition du Vexin Normand; 1196.

Le Vexin Normand était compris dans les territoires de Saint-Clair-sur-Epte.
1147: Louis VII se fait céder le Vexin Normand par Geoffroy Plantagenet pour prix de son aide contre Etienne de Blois.
1158: traité de Gisors par lequel le Vexin Normand est attribué comme dot de Marguerite de France, fille de Louis VII, qui épouse le fils d'Henri II Plantagenet, Henri le Jeune (1160).
1183: malgré la mort d'Henri le Jeune, Henri II séquestre Marguerite et garde le Vexin Normand.
1191: le traité de Messine entre Philippe Auguste et Richard Coeur de Lion conserve le Vexin aux Plantagenet.
1193: Richard est fait prisonnier par Léopold d'Autriche; Philippe Auguste s'allie avec Jean sans Terre qui lui cède Gisors et le Vexin Normand.
1196: après le retour de Richard, la guerre s'achève par le traité de Gaillon qui attribue à Philippe Auguste:
        – le Vexin Normand
        – la chatellenie de Neufmarché
        – les chatellenies de Gaillon, Vernon, Pacy, Ivry et Nonancourt.

Acquisition d'Aumale de l'Evrecin et du Perche; 1200.

1200: après une nouvelle guerre contre Jean sans Peur, Philippe Auguste obtient, par le traité du Goulet:
        – l'hommage plein (et non plus en marche) du duc.
        – le mariage de Blanche de Castille, nièce de Jean, avec le prince Louis; sa dot serait constituée de terres en Berry, du comté du Perche, des seigneuries d'Aumale et de Gournay.
        – cession du comté d'Evreux

Achèvement de la conquête du Duché.

Les deux condamnations de Jean sans Terre aboutirent à la commise de ses fiefs et à leur conquête par Philippe Auguste: dès 1203 pour le duché de Normandie (1205, chûte de Rouen), ce qui fut reconnu par le traité de Paris de 1259.
1219: réunion du comté d'Alençon à la mort du comte, Robert IV.

67

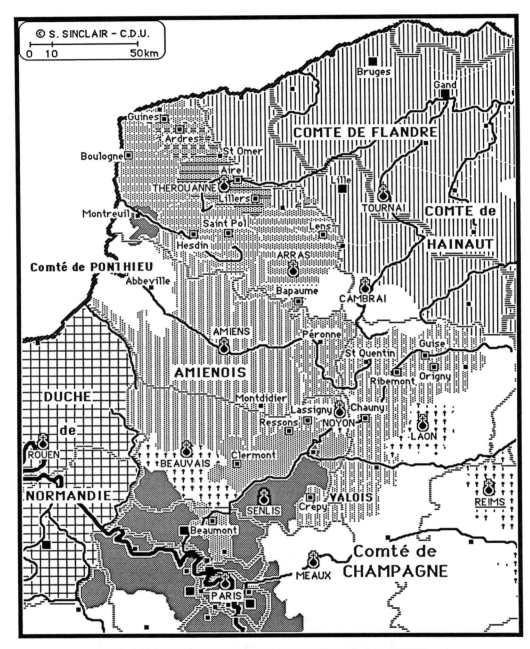

Map labels:
© S. SINCLAIR – C.D.U.
0 10   50km

Bruges
Gand
COMTE DE FLANDRE
Guines
Ardres
Boulogne
St Omer
Aire
THEROUANNE
Lille
Lillers
TOURNAI
COMTE de
Montreuil
Saint Pol
Lens
HAINAUT
Hesdin
ARRAS
Comté de PONTHIEU
Abbeville
Bapaume
CAMBRAI
AMIENS
Péronne
AMIENOIS
St Quentin
Guise
Origny
Ribemont
Montdidier
Lassigny
Chauny
DUCHE
Ressons
NOYON
de
LAON
Clermont
ROUEN
BEAUVAIS
NORMANDIE
SENLIS
Crepy
VALOIS
REIMS
Beaumont
Comté de
MEAUX
CHAMPAGNE
PARIS

LES AVANCEES DU DOMAINE VERS LE NORD
SOUS PHILIPPE AUGUSTE.

68

LEGENDE:

Etat du domaine royal en 1180. Principaux feudataires en 1180.

Domaine en 1180.

Duché de Normandie.

Autres vassaux du roi.

Les terres de Philippe d'Alsace en 1180.

Comté de Flandre ; comté de Hainaut uni dynastiquement à la Flandre (le comte Baudouin V épouse la soeur de Philippe d'Alsace, Marguerite d'Alsace.)

Comté d'Artois ; donné par Philippe en dot à sa nièce, Isabelle de Hainaut, qui épouse Philippe Auguste en 1180 ; Philippe d'Alsace conserve cependant la possession viagère de l'Artois.

Comtés de Vermandois et de Valois, possessions patrimoniales d'Isabelle de Vermandois qui épouse Philippe d'Alsace en 1159 ; Philippe se fit céder ces domaines par sa femme en 1179, ce que confirmèrent Louis VI et Philippe Auguste.

Les héritages d'Isabelle et Aliénor de Vermandois (1182-1213).

La femme de Philippe d'Alsace, Isabelle, mourut en 1182 ; Philippe saisit ses terres en vertu de la donation de 1179 mais Aliénor, soeur d'Isabelle réclame l'héritage, appuyée par son mari, Mathieu de Beaumont, chambrier de France et Philippe Auguste, qui y voyait la possibilité d'une ultérieure réunion (Aliénor et Mathieu n'avaient pas d'enfant). Une guerre s'ensuivit avec Philippe d'Alsace, à laquelle mit fin le traité de Boves de juillet 1185 :
- Philippe Auguste conserva, en vertu de droits de rachats impayés, le comté d'Amiens, le Bas Santerre (Montdidier), Roye et Thourotte ; en outre il acquérait la propriété des chatellenies de Péronne, Ham et Saint-Quentin, qui étaient cependant accordées au comte de Flandre.
- Aliénor de Vermandois conserva le Bas Valois et le Vermandois.

Les acquisitions royales permettaient de réunir Montreuil sur Mer au groupe principal du domaine.

Après la mort de Philippe d'Alsace, en 1191, Aliénor céda au roi :
- la succession à venir du comté de Valois.
- la ville de Péronne et ses dépendances ; le comté d'Amiens que le roi gardait depuis 1185.

Aliénor conserva viagèrement le Vermandois oriental.

A la mort d'Aliénor, en 1212, Philippe acquit le Vermandois oriental, c'est à dire, les chatellenies de Saint-Quentin, Ribemont, Origny, Chauny, Ressons, Lassigny, et la mouvance de la seigneurie de Guise.

La dot d'Isabelle de Hainaut (1190-1212).

Philippe d'Alsace avait conservé viagèrement la dot de sa nièce (v. supra) ; à la mort d'Isabelle puis de Philippe d'Alsace, en 1190/1191, Philippe Auguste conquit l'Artois ; mais une guerre avec le nouveau comte de Flandre, Baudouin IX l'obligea à lui en restituer une partie (traité de Péronne.)
- le roi conservait Arras, Bapaume, Lens, Hesdin.
- il gardait en outre la mouvance des comtés de Boulogne et de Saint Pol.

Philippe Auguste acquit le reste de l'Artois par le traité de Lens de février 1212 (mariage de Jeanne de Flandre et Ferrand de Portugal) :
- réunion d'Aire et de Saint-Omer.
- mouvance de Guines, Lillers, Ardres, Richebourg.

Autres acquisitions.

1218, à la mort de Thibaud de Blois, comté de Clermont en Beauvaisis.
1223, à la mort de Mathieu de Beaumont, comté de Beaumont sur Oise.

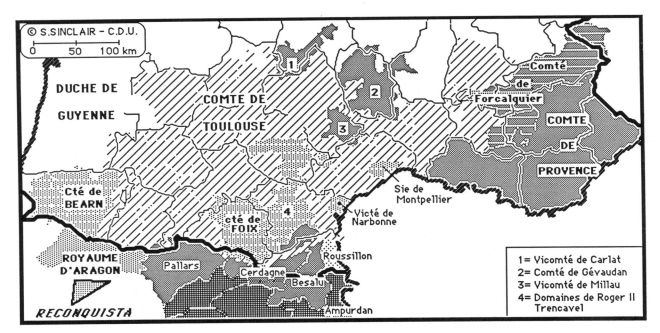

L'EXPANSION ARAGONAISE DANS LE MIDI DE LA FRANCE
Xᵉ - XIᵉ siècles

LEGENDE

Le comté de Barcelone sous Raymond-Béranger Iᵉ et Raymond-Béranger III [1035-1076 / 1082-1131]

1- Territoires du comté de Barcelone primitif.

2- Territoires acquis ou vassalisés:

+ droits sur les vicomtés de Razès et Carcassès datant de Raymond Borell.

+ RB I acquiert les deux vicomtés vers 1071 ; mais elles se rendent indépendantes gardant cependant une vassalité à l'égard des comtes de Barcelone (hommage de Bernard Aton en 1083).

+ Acquisitions complétées par Raymond-Béranger III:
 - Cerdagne,Besalu,Pallars,Vallespir.
 par son mariage avec Douce de Provence :
 - Comté de Provence dont la possession est définitive après le traité de 1125 avec Raymond V + vassalité sur le Comté de Forcalquier.
 - Comté de Gévaudan,Vicomté de Carlat,Vicomté de Millau.

Raymond-Béranger IV [1131-1162]

Par son mariage avec l'héritière du Royaume d'Aragon, Pétronille, en 1137 il est fait roi d'Aragon.

Nombreuses fidélités au delà des Pyrénées:
 - Vicomte de Foix
 - Possessions des Trencavel: Vicomtés de Carcassonne, Razès , Béziers, Albi
 - Vicomté de Narbonne
 - Seigneurie de Montpellier
 - Vicomté de Narbonne et Bigorre

Alphonse II [1164-1196]

Acquisition du Roussillon par héritage (1172).

comté de Toulouse (domaines et vassaux).

LES COMTES DE TOULOUSE
X°-XIII° siècles

NB : les noms entre parenthèses écrits
derrière les noms de femmes représentent
les pères de celles-ci.

RAYMOND III
Pons
Cte de Toulouse
923-950 Toulouse
932-950 Aquitaine
et Auvergne

GUILLAUME
Taillefer
Cte de Toulouse 950-1037
ep Emma, marquise de Provence

PONS
Cte de Toulouse
1037-1060

CONSTANCE
ep 998 ROBERT II
le Pieux R de F

RAYMOND IV
de St Gilles
Cte de St Gilles
1088 Cte de Toulouse
Cte de Rouergue, de Narbonne...
Croisé 1096
ep (1) fille du Cte de Provence
(2) Mathilde de Sicile (Roger II)
(3) Elvire de Castille (Alphonse VI)

BERTRAND
Cte de Toulouse
1096-1098/1105-1109
1109 croisé
1109 Cte de Tripoli

COMTES DE TRIPOLI

ALPHONSE I°
Jourdain
Cte de Cerdagne et Rouergue
Cte de Toulouse 1112-1146
Marquis de Provence 1125-1146
Croisé 1146-1148†

RAYMOND V
Toulouse, Provence, Narbonne
1146/1148-1194
ep Constance de France (Louis VI)

RAYMOND VI
Le Vieux
Toulouse, Provence, Narbonne
1194-1207/1217-1222
ep (2) Béatrix de Béziers (Trencavel)
(4) Jeanne d'Angleterre (Henri II & Aliénor)
(5) Eléonore d'Aragon (Alphonse I)

RAYMOND VII
Le Jeune
Toulouse, Provence
1222-1249
ep (1) Sancie d'Aragon (Alphonse II)
(2) Marguerite de Lusignan (Hugues X)

ADELAIDE
ep 1171 Roger II Trencavel

JEANNE DE TOULOUSE
† 1271
ep ALPHONSE
Cte de Poitou et d'Auvergne
Cte de Toulouse 1249
† 1271

GUILLAUME IV
Cte de Toulouse
Duc de Narbonne etc...
1060-1088 abdique
en faveur de son cadet.

MATHILDE
ep (1) Sanche d'Aragon
(2) Guillaume IX d'Aquitaine

GUILLAUME X
Le Toulousain
Duc d'Aquitaine
1127-1137

ALIENOR
Duchesse d'Aquitaine
ep (1) Louis VII
(2) Henri II Plantagenet

RICHARD
Coeur de Lion
Roi d'Angleterre

JEAN
Sans Terre
Roi d'Angleterre

JEANNE
ep Raymond VI
Cte de Toulouse

ROIS D'ANGLETERRE

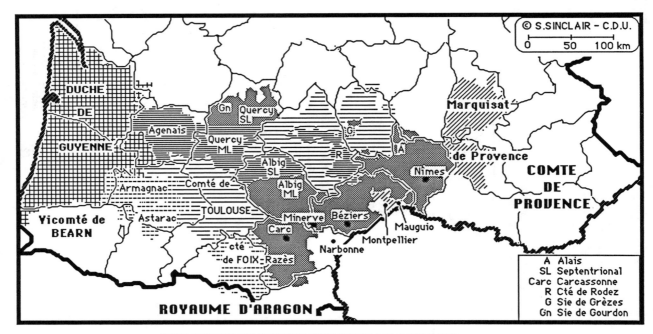

LES CONSEQUENCES TERRITORIALES DU
TRAITE DE MEAUX- PARIS DE 1229

LEGENDE

 <u>Cession immédiate au Roi de :</u>

        – Duché de Narbonne:
            = Vicomté de Minerve
              Vicomté de Béziers
              Vicomté de Nîmes
        – Vicomté de Carcassonne ainsi que Termenès, Razès, Fenouillède
        – Vicomté de Grèzes en Gévaudan.

        – Albigeois Méridional
        – Seigneurie de Gourdon et Quercy septentrional   ⎤
        – Seigneurie de Mirepoix   vassalité directe
        – Vicomté de Lodève (principauté ecclesiastique) ⎦

<u>Territoires conservés par Raymond VII viagèrement avec hommage lige au roi</u>

 1– territoires devant revenir, après la mort de Raymond,
    a un fils de Louis VIII qui épouserait la fille de Raymond, Jeanne:

        – Comté de Toulouse
          avec suzeraineté de { Armagnac, Astarac (attachée au cté d'Agen)
                          { Comté de Foix

 2– seuls territoires que Raymond pourrait transmettre à des héritiers
        éventuels autres que Jeanne
        – Quercy méridional
        – Rouergue ie Comté de Rodez, Vicomté de Millau, Agenais et Quercy
          septentrional.

 <u>Territoires immédiatement cédés à la papauté ou restitués à leur possesseur</u>
<u>ecclésiastique</u>

        – Marquisat de Provence: Comtat Venaissin, suzeraineté sur les comtes
          de Diois et de Valentinois.
        – Seigneurie de Maguelonne ou de Mauguio.

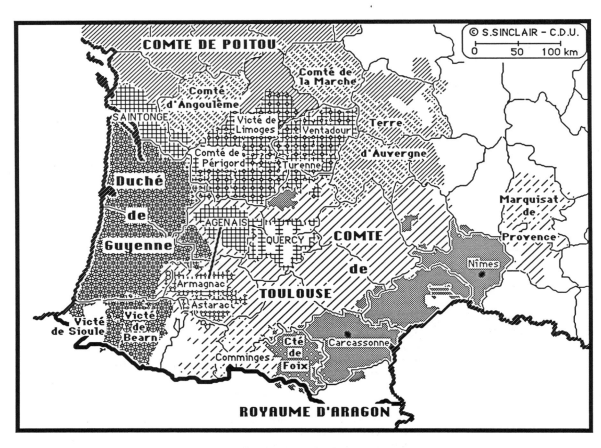

LES REGLEMENTS TERRITORIAUX DANS LE MIDI
1243-1286

LEGENDE

Les possessions royales dans le Midi

Possessions issues du traité de Meaux-Paris 1229 :
- Sénéchaussées de Nîmes-Beaucaire et Carcassonne
- Seigneuries diverses (Grèzes, St Antonin, etc...)
- Vassalité directe des évêchés languedociens et de seigneuries diverses

Traité de Lorris : après sa défaite face aux armées royales, Raymond VII doit céder sa suzeraineté sur le Comté de Foix (1243).

Traité de Corbeil avec Jaime le conquérant roi d'Aragon (1258) :
- le roi d'Aragon renonce à sa suzeraineté supposée sur le Languedoc sauf à celle de Carlat et Montpellier.
- saint Louis renonce à toute suzeraineté sur l'ancienne Marche d'Espagne.

L'apanage d'Alphonse de Poitiers et l'héritage toulousain de sa femme

Apanage d'Alphonse tel que le constitua Louis VIII en 1225
1- Terres possédées directement : Comté de Poitou et Terre d'Auvergne
2- Principaux vassaux : Comte d'Auvergne, Dauphiné d'Auvergne, Carlat, Livradois, comtés de la Marche et d'Angoulême (aux Lusignan).

Possessions de Jeanne de Toulouse héritées de Raymond VII en 1249
1- Terres tenues directement : Comté de Toulouse, Marquisat de Provence, Agenais, Quercy, Armagnac et Astarac

2- Principaux vassaux : Comtés de Comminges et Couserans
Comtés de Diois et Valentinois

L'évolution des possessions des Plantagenets dans le Midi

Duché de Guyenne après le démembrement des possessions anglo-normandes par Philippe Auguste et Louis VIII.
Vassalité sur les Vicomtés de Sioule et de Béarn (cependant assez théorique).

Terres acquises à l'issue du traité de Paris en 1259 :
- droits du Roi dans l'évêché de Cahors
- droits du Roi dans l'évêché de Limoges : Vicomtés de Limoges, Turenne, Ventadour.
- droits du Roi dans l'évêché de Périgueux : Comté de Périgord.

En outre le traité de Paris prévoyait qu'en cas de mort d'Alphonse de Poitiers sans enfant, le roi d'Angleterre recevrait :
- Saintonge au sud de la Charente
- Agenais (avec la vassalité sur Armagnac et Astarac :2)
- Quercy toulousain après enquête.
Cette mort survint en 1271 ; Edouard I° d'Angleterre recueillit la Saintonge ; Puis, après enquête, l'Agenais (Traité d'Amiens de 1279) ; cependant le roi de France conserva le Quercy (reconnu lors de la prestation d'hommage d'Edouard I à Philippe IV).
Quant au Comtat Venaissin, il revint définitivement à la Papauté en 1274.

Chapitre IV

Le Moyen Age tardif :
le temps des principautés territoriales

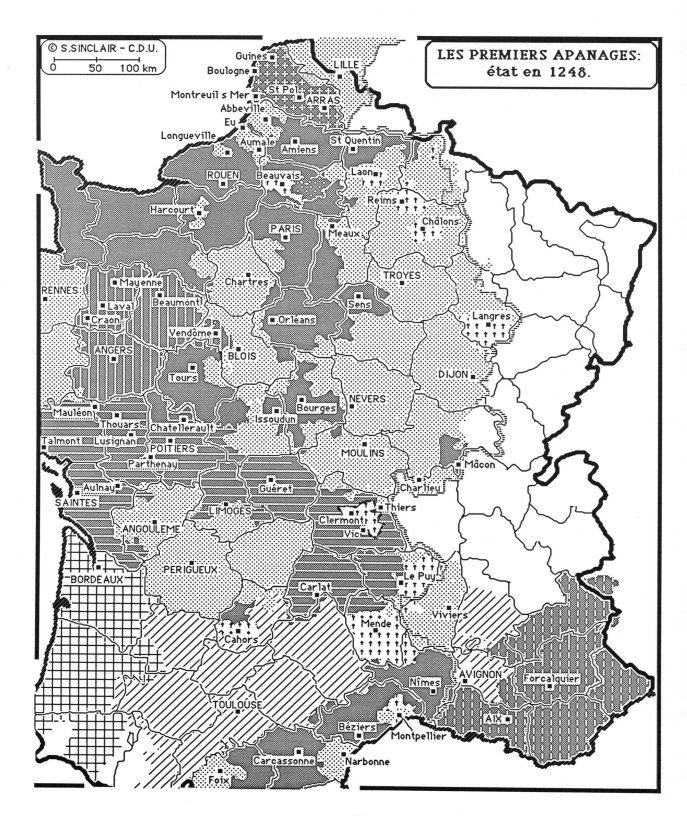

LES PREMIERS APANAGES:
état en 1248.

© S.SINCLAIR – C.D.U.
0   50   100 km

Guines
Boulogne
LILLE
Montreuil s Mer
St Pol
Abbeville
ARRAS
Eu
Longueville
Aumale
St Quentin
Amiens
ROUEN
Beauvais
Laon
Harcourt
Reims
Châlons
PARIS
Meaux
Mayenne
TROYES
RENNES
Beaumont
Chartres
Sens
Laval
Craon
Orleans
Langres
Vendôme
ANGERS
BLOIS
Tours
DIJON
Mauléon
Bourges
NEVERS
Thouars
Chatellerault
Issoudun
Talmont
Lusignan
POITIERS
MOULINS
Parthenay
Mâcon
Aulnay
Guéret
Charlieu
SAINTES
LIMOGES
Thiers
Clermont
ANGOULEME
Vic
PERIGUEUX
Carlat
Le Puy
BORDEAUX
Viviers
Mende
Cahors
Avignon
Nîmes
Forcalquier
TOULOUSE
AIX
Béziers
Montpellier
Carcassonne
Narbonne
Foix

78

LEGENDE

Domaine royal en 1248

 Le domaine a connu de considérables accroissements sous Philippe Auguste, Louis VIII et saint Louis : Duché de Normandie, Comté de Vermandois, sénéchaussées du Midi, seigneurie d'Issoudun, comté de Mâcon, Touraine etc. (sans compter les terres données en apanages ; v. infra).

Les apanages des fils de Louis VIII

Louis VIII inaugure la politique des apanages : son testament de 1225 prévoit de doter ses fils de terres acquises depuis Philippe Auguste :

1- Apanage de Robert d'Artois 1237

 Comprend les chatellenies d'Arras, Aire, Bapaume, Hesdin, Lens, Saint-Omer. Mouvance des comtés de Boulogne, Guines, Saint-Pol et de la seigneurie d'Ardres

2- Apanage d'Alphonse de Poitiers 1241

 Constitué sur les terres conquises par Philippe Auguste puis Louis VIII aux dépens du duché d'Aquitaine :
- Comté de Poitou dont meuvent les vicomtés de Chatellerault, de Thouars et les seigneuries de Mauléon, Lusignan, Parthenay, Talmont, Aulnay.
- Terre d'Auvergne dont meuvent les comtés d'Auvergne, de la Marche (aux Lusignans), des vicomtés de Thiers et Carlat, des baronnies de Combrailles et Livradois.

 En outre, Alphonse avait l'expectative du gouvernement du comté de Toulouse : après le traité de Meaux-Paris, il avait épousé Jeanne de Toulouse héritière du comté alors détenu par son père, Raymond VII († 1249).

3- Apanage de Charles d'Anjou 1246

 Cet apanage aurait du revenir à son ainé, Jean, qui mourut précocément ; Charles reçut : le comté d'Anjou (comprend l'Anjou et le Maine) dont meuvent le comté de Vendôme, la vicomté de Beaumont et les seigneuries de Mayenne, Craon et Laval.

 En outre Charles épousa en 1246 la fille de Raymond-Béranger IV, Béatrice de Provence, ce qui lui assurait l'expectative du Comté de Provence dont mouvait le comté de Forcalquier (représentés en traits tiretés car ils ne sont pas vassaux du Roi mais de l'Empereur.)

Les autres grands fiefs royaux.

 Comté de Toulouse de Raymond VII amputé par le traité de Meaux-Paris (sénéchaussées royales de Nîmes-Beaucaire et Carcassonne-Béziers, Comtat Venaissin attribué à la Papauté mais restitué à Raymond en 1234 etc.) puis par le traité de Lorris de 1243 : les possessions des Trencavel deviennent fiefs directs de la Couronne.

 autres vassaux directs du roi.

 Seigneuries écclésiastiques.

Les restes des possessions continentales des Plantagenets.

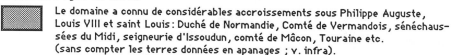 Malgré les rebellions de 1242-1243, Henri III se montra impuissant à récupérer les territoires perdus sous Henri II, Richard Coeur de Lion et Jean sans Terre. Il reste souverain sur un duché d'Aquitaine fort diminué, en attendant le traité de Paris de 1259.

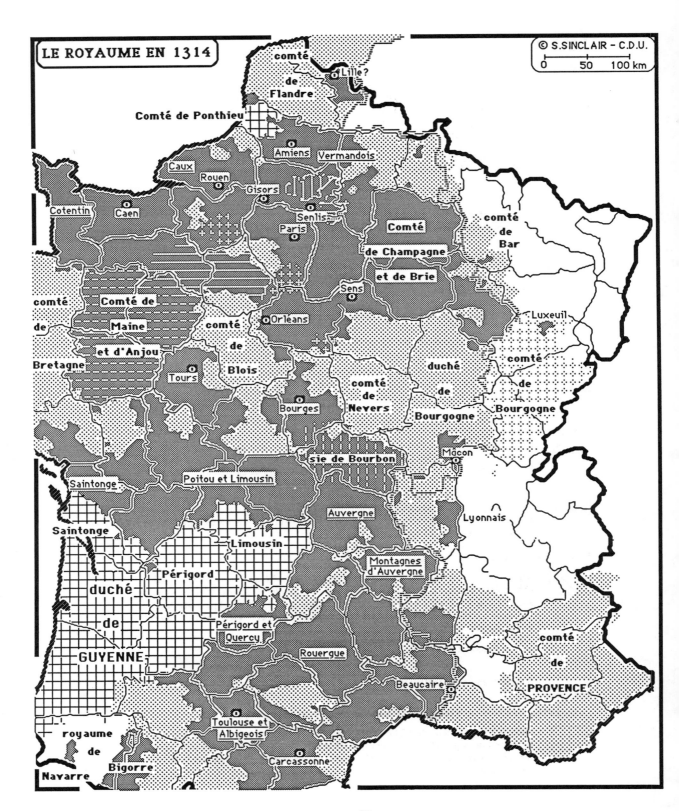

LE ROYAUME EN 1314

© S.SINCLAIR – C.D.U.

0   50   100 km

comté de Flandre

Lille ?

Comté de Ponthieu

Amiens

Vermandois

Caux

Rouen

Gisors

Cotentin

Caen

Senlis

Paris

Comté de Champagne

comté de Bar

et de Brie

Sens

comté de

Luxeuil

Comté de Maine

Orléans

comté de

et d'Anjou

Blois

duché de

comté de Bourgogne

Bretagne

Tours

Bourges

comté de Nevers

Bourgogne

sie de Bourbon

Mâcon

Saintonge

Poitou et Limousin

Auvergne

Lyonnais

Saintonge

Limousin

Montagnes d'Auvergne

Périgord

duché

de

Périgord et Quercy

Rouergue

comté de

GUYENNE

Beaucaire

PROVENCE

Toulouse et Albigeois

royaume de

Bigorre

Carcassonne

Navarre

LEGENDE

Le domaine royal à la mort de Philippe le Bel 1314.

Le domaine connait de considérables accroissements sous Philippe III et Philippe IV:
- Possessions d'Alphonse de Poitiers et de Jeanne de Toulouse : Poitou, Comté de Toulouse, Terre d'Auvergne.
- 1312:prise de possession définitive de Lyon (rattachée au bailliage de Mâcon).
- 1312: aux termes de guerres contre la Flandre, traité de Pontoise ou Transport de Flandre : cession au roi des chatellenies flamandes de Lille, Douai, Orchies.
- depuis son mariage avec Jeanne de Navarre (1284), Philippe administre le comté de Champagne et de Brie qu'on peut déja considérer comme parties intégrantes du domaine ; Philippe administre aussi le royaume de Navarre jusqu'en 1305.
- diverses acquisitions de moindre importance : comté de Chartres en 1293, seigneurie de Beaugency, possessions de la famille de Lusignan (comtés de la Marche et d'Angoulême) en 1308, comté de Bigorre (1292) etc.

⊙ Amiens   Bailliage royal (les bailliages ne portant pas le nom d'une ville sont soulignés).

D'autre part la puissance et le prestige du roi ainsi que l'affaiblissement du pouvoir impérial permirent la vassalisation de nombreux fiefs autrefois impériaux : possessions dans l'Empire des comtes de Champagne, comté de Bar, relations privilégiées avec le comte de Bourgogne et le comte de Provence etc.

De même pour les nombreux traités de pariage passés avec des évêques méridionaux : Viviers, Cahors, Mende, Le Puy et avec l'abbaye de Luxeuil (droit hérité du comte de Champagne)

Les apanages et possessions des fils de Philippe III et Philippe IV.

1- Apanage de Charles de Valois.

Comté de Valois (1284)
Charles épouse Marguerite d'Anjou, fille de Charles d'Anjou, en 1290 : elle lui apporte en dot le comté d'Anjou et du Maine.
En 1293, Philippe le Bel accorde à son frère : les comtés d'Alençon, du Perche et de Chartres ainsi que les chatellenies de Senonches et de Thimerais.

2- Apanage de Louis d'Evreux.

Comté d'Evreux, seigneuries de Beaumont le Roger, Meulan, Etampes, Dourdan, La Ferté Alais (1298).

3- Apanage de Philippe de Poitiers.

nous n'avons pas représenté cet apanage accordé par Philippe le Bel à son second fils Philippe : ses limites sont mal connues et Philippe de Poitiers n'entra jamais en possession de son apanage.

4- Possessions de Robert de Clermont.

Robert, fils de saint Louis, fut apanagé du comté de Clermont en Beauvaisis en 1271.
Son mariage avec l'héritière de la seigneurie de Bourbon, Béatrice, en 1271, lui permit d'en assurer le gouvernement (possession et pas apanage.)

Possessions continentales des Plantagenets.

Elles se limitent au duché de Guyenne tel que l'avait défini le traité de Paris de 1259 auquel vinrent s'ajouter la Saintonge au sud de la Charente puis l'Agenais (traité d'Amiens de 1279).
Les guerres de Philippe le Bel et la conquête du duché se soldèrent par le traité de Montreuil sur Mer de 1303 qui en revenait à la situation de 1279.
D'autre part, Edouard I° épousa en 1279 Aliénor de Castille qui lui apporta le comté de Ponthieu.

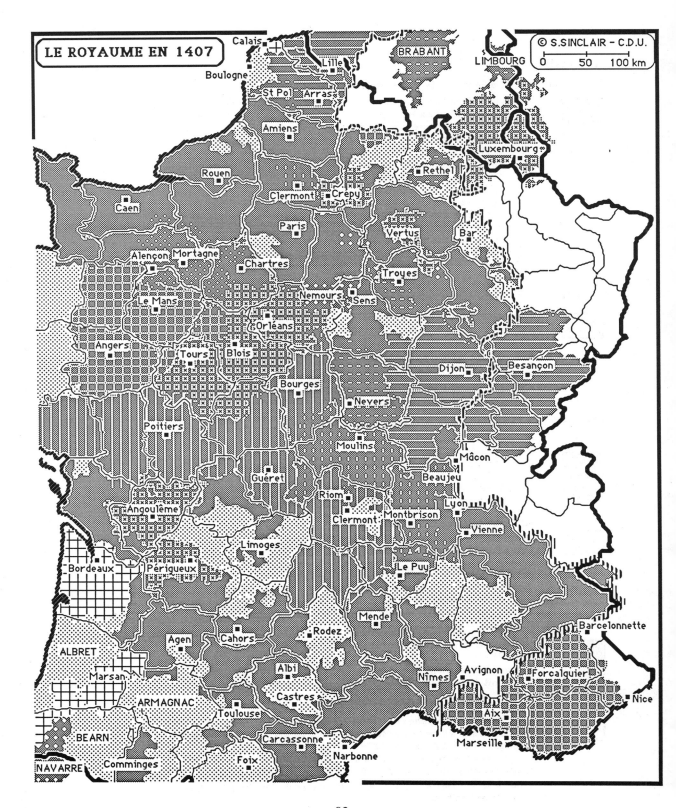

LE ROYAUME EN 1407

© S.SINCLAIR – C.D.U.
0   50   100 km

Calais
Boulogne
Lille
St Pol Arras
BRABANT
LIMBOURG
Amiens
Rouen
Clermont Crepy
Luxembourg
Rethel
Caen
Paris
Vertus
Bar
Alençon Mortagne
Chartres
Le Mans
Nemours
Sens
Troyes
Angers
Orléans
Tours Blois
Bourges
Dijon
Besançon
Poitiers
Nevers
Guéret
Moulins
Mâcon
Beaujeu
Angoulême
Riom
Lyon
Clermont Montbrison
Limoges
Vienne
Bordeaux
Périgueux
Le Puy
ALBRET
Agen
Cahors
Rodez
Mende
Barcelonnette
Marsan
Albi
Nîmes
Avignon
Forcalquier
ARMAGNAC
Castres
Nice
BEARN
Toulouse
Carcassonne
Aix
NAVARRE
Comminges
Foix
Narbonne
Marseille

82

LEGENDE

La date de 1407 a été choisie pour pouvoir représenter l'état du domaine à la mort de Charles V (il n'a pas encore été dilapidé par les princes qui assuraient la régence de Charles VI), c'est à dire après la reconquête, mais aussi l'état des apanages, dont le nombre et l'étendue sont alors maximaux (apanages hérités des derniers capétiens directs; des frères de Charles V; de Louis d'Orléans).

Le domaine royal en 1407.

 A connu une grande expansion au XIV° s., malgré la guerre de Cents Ans qui n'a somme toute pas excessivement affaibli le pouvoir et le prestige royaux:
- 1349: achat du Dauphiné de Viennois à Humbert II; puis affirmation des droits du roi: 1350, traité de Paris avec le comte de Maurienne/Savoie qui met fin aux litiges entre Savoie et Dauphiné; 1364, Charles V garde le Dauphiné à la royauté malgré les protestations de Louis d'Anjou; 1356 et 1378, vicariat impérial sur le Royaume d'Arles.
- achats divers: 1337, Arleux et Crèvecoeur; vassalisation de la seigneurie de Montpellier en 1349, chatellenie de Limoges et le comté d'Auxerre (1371) enfin le comté de Dreux.
- surtout reconquête de Charles V qui limite a presque rien l'Aquitaine du traité de Brétigny-Calais (1360): sont alors annexées, la Saintonge, le Poitou une grande partie de la Guyenne, le comté d'Angoulême etc.
- enfin, à rattacher à la reconquête, la confiscation des domaines de Charles le Mauvais, qui aboutit, en 1404, à un compromis avec Charles II le Noble: les terres confisquées étaient réunies (Cherbourg, Montpellier, le Cotentin, Mantes, Meulan etc.) et compensées par le duché de Nemours, constitué de terres en Gâtinais.

Mais la politique des apanages limita les effets de la reconquête et menaçait, à terme, l'unité du royaume.

Les apanages hérités des derniers capétiens directs.

Pour mémoire, les apanages de Clermont en Beauvaisis et d'Artois, qui sont englobés dans des apanages ultérieurs; de même pour l'apanage d'Evreux, annulé par l'accord de 1404 (v. supra).
 Seul subsiste l'apanage d'Alençon et du Perche constitué en 1325 par Philippe de Valois en faveur de son frère Charles: comtés d'Alençon et du Perche; seigneurie de Beaumont, mais à titre privé.

Les apanages des frères de Charles V.

1- Apanage d'Anjou 1356.

 1356, constitué en faveur de Louis d'Anjou; comprend l'Anjou et le Maine.
1367, Louis obtient, contre cession de Chantoceaux au duc de Bretagne, le Loudunois.
1370, échange du Maine contre la Touraine en cession viagère; mais Louis parvient à conserver le Maine.
1380, la dernière descendante de Charles d'Anjou, Jeanne de Naples, cède la Provence (Comté de Provence et de Forcalquier moins Avignon, cédé à la papauté) ainsi que les titres de roi de Jérusalem et de Sicile à Louis d'Anjou.
1384, mort de Louis d'Anjou et restitution de la Touraine.
1388, les comtés de Nice et Barcelonnette se donnent au comte de Savoie.

2- Apanage de Poitou, Berry, Auvergne.

1357, Jean reçoit le Poitou avec les suzerainetés de Talmont, Thouars, Chatellerault et Parthenay.
1357, Jean reçoit le comté de Mâcon.
1360, le traité de Brétigny le prive de ces territoires: il reçoit en compensation les duchés de Berry et d'Auvergne.
1369, promesse de restitution du comté de Poitou, à charge pour Jean d'aider à sa reconquête.
1372, cession définitive du Poitou avec l'Angoumois et la Saintonge; réunion du comté de Mâcon à la couronne.
1373, réunion au domaine de l'Angoumois et de la Saintonge.   .../...

LEGENDE (suite de la page précédente)

3- Apanage de Bourgogne 1363

Nous ne détaillerons pas les différentes parties des possessions de Philippe le Hardi et Jean sans Peur (v. cartes correspondantes). Nous nous sommes contenté de distinguer :

- Les terres de la branche ainée : duché de Bourgogne, comté de Bourgogne, comté de Flandre avec les chatellenies de Lille, Douai, Orchies, comté d'Artois, seigneurie de Malines, comté de Charolais.
- Les terres des branches cadettes de Rethel (comté de Rethel, duché de Brabant, duché de Limbourg, seigneurie d'Anvers, comté de Saint Pol) et de Nevers (comté de Nevers, chatellenie de Donzy, chatellenies champenoises).

L'apanage de Louis d'Orléans ; l'accord de 1400 (Bourbon).

1- Apanage d'Orléans.

Nous ne détaillerons pas outre mesure (se reporter à la carte correspondante) ;
1375, Louis est apanagé du Valois.
1386, s'y ajoute la Touraine.
1392, cession confirmée du Valois, de la Touraine, du comté (duché en 1406) d'Orléans.
1397, donation du comté d'Angoulême par le roi.
1399, cession royale du comté de Périgord.
Nombreux achats, outre la dot de Valentine Visconti (Vertus) : Blois et Dunois, seigneurie de Coucy, duché de Luxembourg etc.

2- La création de l'apanage de Bourbon 1400.

La fille de Jean de Berry, Marie, épousa Louis II de Bourbon, déja apanagé de Clermont en Beauvaisis, en 1400 ; or Jean de Berry tenait à ce que l'intégrité de son apanage soit préservée après sa mort ; Charles VI accorda que le duché d'Auvergne reviendrait à Marie, à son mari ou à leurs héritiers à la mort de Jean de Berry ; en contrepartie, les terres déja possédées par la famille de Bourbon seraient dorénavant considérées comme des apanages, c'est à dire qu'elles reviendraient à la couronne en cas de défaut d'héritier mâle.

En 1400, les terres de la famille de Bourbon étaient : le duché de Bourbon, la seigneurie de Combrailles, la seigneurie d'Issoudun, le comté de Clermont en Beauvaisis, le dauphiné d'Auvergne, la seigneurie de Thiers, le comté de Forez le comté de Beaujolais et la principauté des Dombes dans l'Empire.

Les terres de Jean de Berry concernées par l'accord étaient : le duché d'Auvergne, le comté de Montpensier ; l'évêché de Clermont restait sous la tutelle de la royauté.
L'accord de 1400, violé en 1416 par un Charles VI totalement dévoué aux Bourguignons (réunion de l'apanage à la mort de Jean de Berry), fut appliqué en 1425 : Jean I°, duc de Bourbon, reçut le duché d'Auvergne.

Les restes des possessions continentales des Plantagenets.

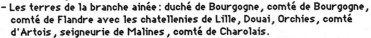

Bordelais ; Labourd (Bayonne), Chalosse, Marsan (Mont de Marsan) ; Calais et ses environs.

Autres fiefs royaux.

très limités dans le Nord, ils restent nombreux dans le Midi où les familles de Béarn, Armagnac et Albret sont toutes puissantes.

Frontière entre la France et l'Empire.

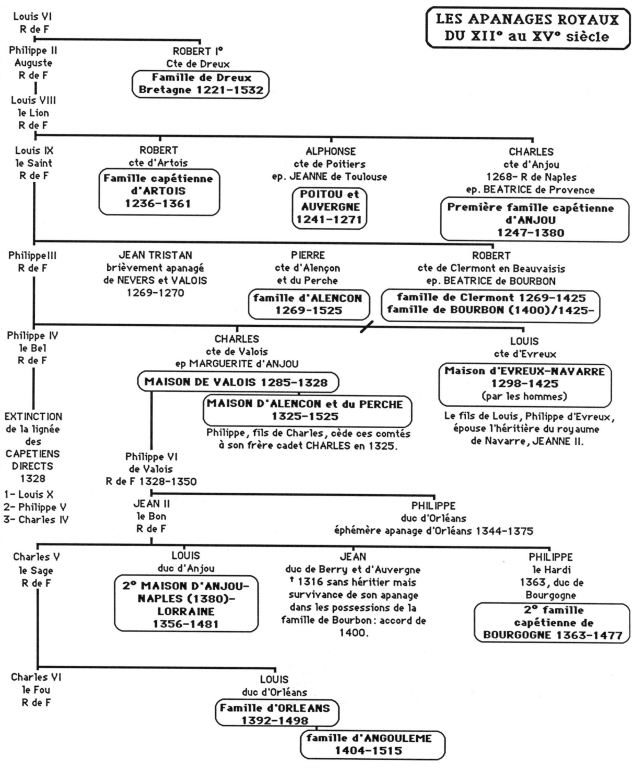

Louis VI
R de F

Philippe II
Auguste
R de F

ROBERT I°
Cte de Dreux

**Famille de Dreux
Bretagne 1221–1532**

Louis VIII
le Lion
R de F

Louis IX
le Saint
R de F

ROBERT
cte d'Artois

**Famille capétienne
d'ARTOIS
1236–1361**

ALPHONSE
cte de Poitiers
ep. JEANNE de Toulouse

**POITOU et
AUVERGNE
1241–1271**

CHARLES
cte d'Anjou
1268- R de Naples
ep. BEATRICE de Provence

**Première famille capétienne
d'ANJOU
1247–1380**

Philippe III
R de F

JEAN TRISTAN
brièvement apanagé
de NEVERS et VALOIS
1269-1270

PIERRE
cte d'Alençon
et du Perche

**famille d'ALENCON
1269–1525**

ROBERT
cte de Clermont en Beauvaisis
ep. BEATRICE de BOURBON

**famille de Clermont 1269–1425
famille de BOURBON (1400)/1425-**

Philippe IV
le Bel
R de F

CHARLES
cte de Valois
ep MARGUERITE d'ANJOU

MAISON DE VALOIS 1285–1328

**MAISON D'ALENCON et du PERCHE
1325–1525**

Philippe, fils de Charles, cède ces comtés
à son frère cadet CHARLES en 1325.

LOUIS
cte d'Evreux

**Maison d'EVREUX–NAVARRE
1298–1425
(par les hommes)**

Le fils de Louis, Philippe d'Evreux,
épouse l'héritière du royaume
de Navarre, JEANNE II.

EXTINCTION
de la lignée
des
CAPETIENS
DIRECTS
1328

1- Louis X
2- Philippe V
3- Charles IV

Philippe VI
de Valois
R de F 1328-1350

JEAN II
le Bon
R de F

PHILIPPE
duc d'Orléans
éphémère apanage d'Orléans 1344-1375

Charles V
le Sage
R de F

LOUIS
duc d'Anjou

**2° MAISON D'ANJOU-
NAPLES (1380)-
LORRAINE
1356–1481**

JEAN
duc de Berry et d'Auvergne
† 1316 sans héritier mais
survivance de son apanage
dans les possessions de la
famille de Bourbon: accord de
1400.

PHILIPPE
le Hardi
1363, duc de
Bourgogne

**2° famille
capétienne de
BOURGOGNE 1363–1477**

Charles VI
le Fou
R de F

LOUIS
duc d'Orléans

**Famille d'ORLEANS
1392–1498**

**famille d'ANGOULEME
1404–1515**

LES APANAGES ROYAUX
DU XII° au XV° siècle

85

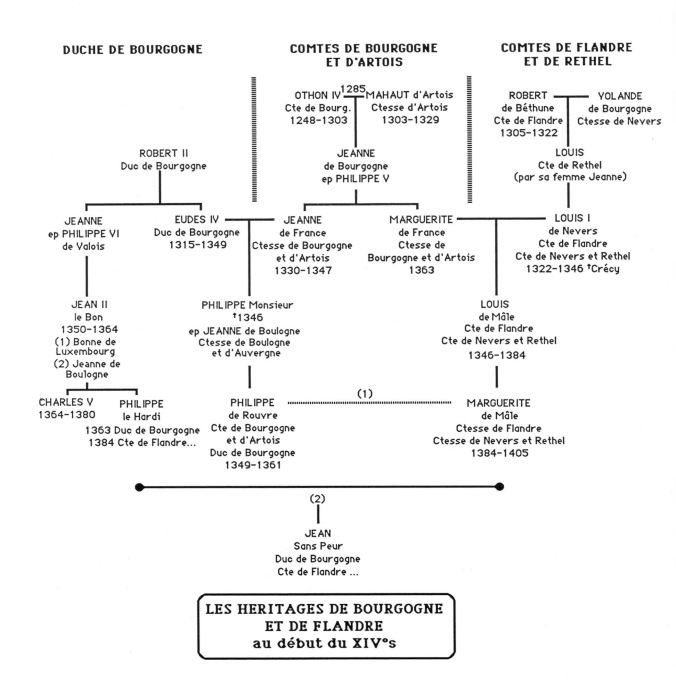

DUCHE DE BOURGOGNE

**COMTES DE BOURGOGNE
ET D'ARTOIS**

**COMTES DE FLANDRE
ET DE RETHEL**

OTHON IV — 1285 — MAHAUT d'Artois
Cte de Bourg. | Ctesse d'Artois
1248-1303 | 1303-1329

JEANNE
de Bourgogne
ep PHILIPPE V

ROBERT — YOLANDE
de Béthune | de Bourgogne
Cte de Flandre | Ctesse de Nevers
1305-1322

LOUIS
Cte de Rethel
(par sa femme Jeanne)

ROBERT II
Duc de Bourgogne

JEANNE
ep PHILIPPE VI
de Valois

EUDES IV
Duc de Bourgogne
1315-1349

JEANNE
de France
Ctesse de Bourgogne
et d'Artois
1330-1347

MARGUERITE
de France
Ctesse de
Bourgogne et d'Artois
1363

LOUIS I
de Nevers
Cte de Flandre
Cte de Nevers et Rethel
1322-1346 †Crécy

JEAN II
le Bon
1350-1364
(1) Bonne de
Luxembourg
(2) Jeanne de
Boulogne

PHILIPPE Monsieur
†1346
ep JEANNE de Boulogne
Ctesse de Boulogne
et d'Auvergne

LOUIS
de Mâle
Cte de Flandre
Cte de Nevers et Rethel
1346-1384

CHARLES V
1364-1380

PHILIPPE
le Hardi
1363 Duc de Bourgogne
1384 Cte de Flandre...

PHILIPPE
de Rouvre
Cte de Bourgogne
et d'Artois
Duc de Bourgogne
1349-1361

(1)

MARGUERITE
de Mâle
Ctesse de Flandre
Ctesse de Nevers et Rethel
1384-1405

(2)

JEAN
Sans Peur
Duc de Bourgogne
Cte de Flandre ...

**LES HERITAGES DE BOURGOGNE
ET DE FLANDRE
au début du XIV°s**

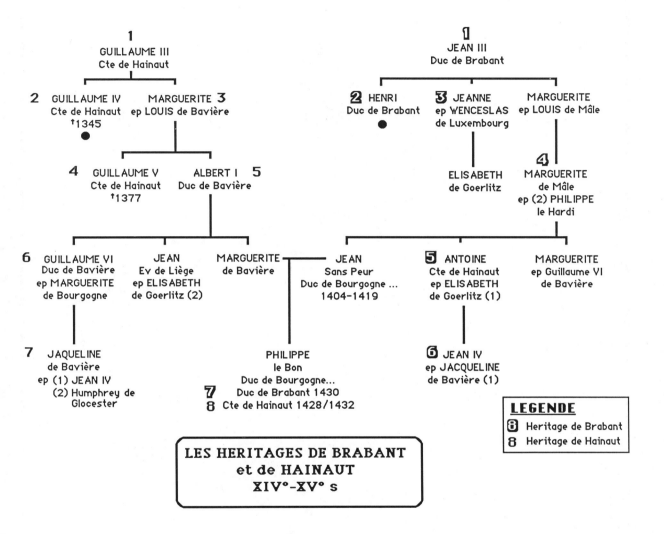

1
GUILLAUME III
Cte de Hainaut

2 GUILLAUME IV   MARGUERITE **3**
Cte de Hainaut   ep LOUIS de Bavière
†1345
●

4 GUILLAUME V   ALBERT I **5**
Cte de Hainaut   Duc de Bavière
†1377

6 GUILLAUME VI   JEAN   MARGUERITE
Duc de Bavière   Ev de Liège   de Bavière
ep MARGUERITE   ep ELISABETH
de Bourgogne   de Goerlitz (2)

7 JAQUELINE
de Bavière
ep (1) JEAN IV
(2) Humphrey de
Glocester

1
JEAN III
Duc de Brabant

2 HENRI   **3** JEANNE   MARGUERITE
Duc de Brabant   ep WENCESLAS   ep LOUIS de Mâle
●   de Luxembourg

ELISABETH   MARGUERITE **4**
de Goerlitz   de Mâle
ep (2) PHILIPPE
le Hardi

JEAN   **5** ANTOINE   MARGUERITE
Sans Peur   Cte de Hainaut   ep Guillaume VI
Duc de Bourgogne ...   ep ELISABETH   de Bavière
1404-1419   de Goerlitz (1)

PHILIPPE   **6** JEAN IV
le Bon   ep JACQUELINE
Duc de Bourgogne...   de Bavière (1)
7 Duc de Brabant 1430
8 Cte de Hainaut 1428/1432

LEGENDE
8 Heritage de Brabant
8 Heritage de Hainaut

LES HERITAGES DE BRABANT
et de HAINAUT
XIV°-XV° s

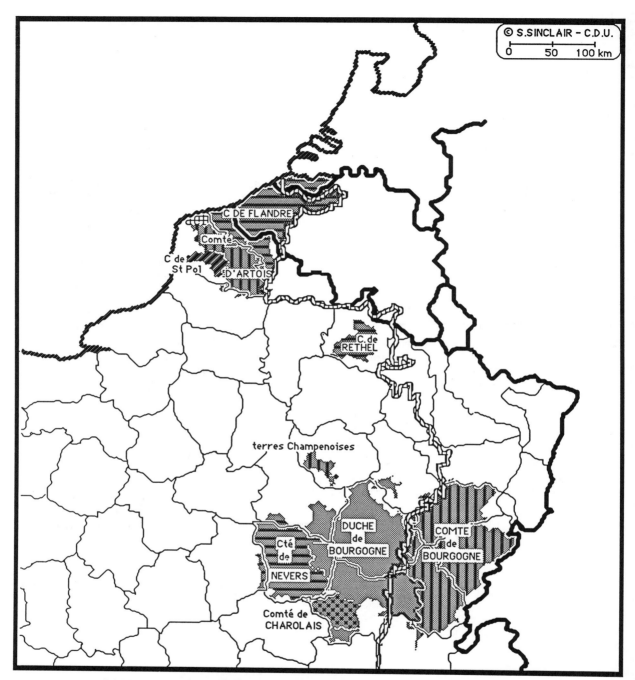

**L'APANAGE BOURGUIGNON DE PHILIPPE LE HARDI
ET LES HERITAGES DE MARGUERITE DE MALE
(1363-1404)**

LEGENDE

L'apanage de Bourgogne 1363

 Cession du duché de Bourgogne au cadet de Jean II le Bon, Philippe, jusqu'alors apanagé du comté de Touraine. (8 septembre 1363).

L'héritage flamand de Marguerite de Male 1384

 Philippe le Hardi épousa la fille du comte de Flandre, Marguerite de Male, en 1369; pour consentir à cette union, il fallut rendre au comte de Flandre les territoires annexés lors du Transport de Flandre (1312; chatellenies de Lille, Douai, Orchies) sous réserve que les deux époux auraient un descendant mâle. Philippe le Hardi avait cependant passé une convention secrète avec Charles V qui stipulait qu'il devrait rendre ces chatellenies à la Couronne dès la mort de son beau-père.

A la mort de son père, Louis de Mâle, en 1384, Marguerite hérita des:
- Comté de Flandre
- Comté de Rethel
- Comté de Nevers

Contrairement à l'accord secret de 1369, Philippe le Hardi ne rendit pas:
- Chatellenie de Lille
- Chatellenie de Douai
- Chatellenie d'Orchies

L'héritage de Bourgogne/Artois 1384

 L'héritage du premier mari de Marguerite de Male, Philippe de Rouvre, comte de Bourgogne et d'Artois s'était conclu, en 1361, à l'avantage de sa grand tante, Marguerite de France, qui était la grand mère paternelle de Marguerite de Male. En 1384, cette dernière hérita de Marguerite de France les:
- Comté de Bourgogne
- Comté d'Artois
- possessions champenoises: seigneuries de Villemaur, Chaource, Isle etc.

Le comté de Saint-Pol passe au second fils de Philippe le Hardi

 Antoine épouse Jeanne de Saint-Pol, héritière du comté.

Achat du comté de Charolais 1390

 Acheté au comte d'Armagnac Jean III (tenu par les comtes d'Armagnac depuis 1327).

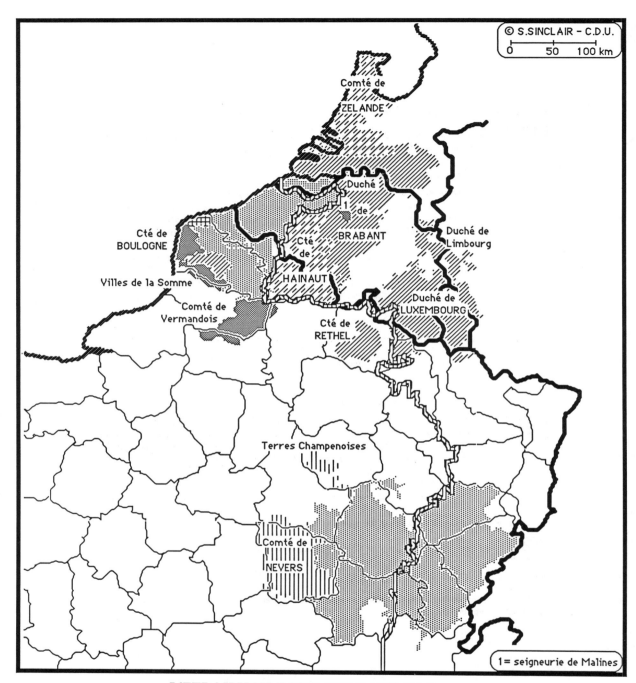

**L'EXPANSION DANS LES PAYS-BAS
DES FRERES DE JEAN SANS PEUR
(1404-1419)**

LEGENDE

Territoires de la branche ainée sous Jean sans Peur

Ils connaissent une relative stagnation : Jean sans Peur est trop engagé dans les guerres qui l'opposent à Louis d'Orléans puis, après son assassinat, au parti Armagnac.

 Territoires hérités de Philippe le Hardi

 Il acquiert cependant :

1404 : héritage de Jeanne de Brabant (v. infra) ; Jean sans Peur n'en tire que la Seigneurie de Malines.

1418 : mainmise sur :
- Chatellenies de Roye, Montdidier, Péronne
- Comté de Vermandois
- Comté de Boulogne (occupé).

Les possessions de la branche de Rethel (Antoine, 1404-1415 ; Jean IV, 1415-1427)

 1404 : Antoine, qui possède par mariage le comté de Saint-Pol, est investi du Comté de Rethel.

1404 : en 1389, la tante maternelle de Marguerite de Male, Jeanne de Brabant, déclara Marguerite sa seule héritière, ce qu'elle compléta, en 1404, en lui laissant entière liberté de choisir parmi ses fils celui qui serait son héritier.

Marguerite choisi Antoine de Rethel ; il hérita donc de :
- Duché de Brabant
- Duché de Limbourg
- seigneurie d'Anvers

Jean sans Peur se réserva la seigneurie de Malines.

1411 : Antoine épouse Elisabeth de Görlitz, héritière du Duché de Luxembourg
1415 : mort d'Antoine à Azincourt.

 1417 : son fils Jean IV épouse Jacqueline de Bavière, héritière de :
- Comté de Hainaut
- Comté de Hollande, Zélande et Frise.

La branche de Nevers (Philippe, 1404-1415 ; Charles, 1415-1464)

1404 : Philippe est investi du Comté de Nevers
de la chatellenie de Donzy
des chatellenies champenoises de Villemaur, Chaource, Isles etc.

1415 : mort de Philippe à Azincourt ; la régence de son fils Charles est assurée par Jean sans Peur.

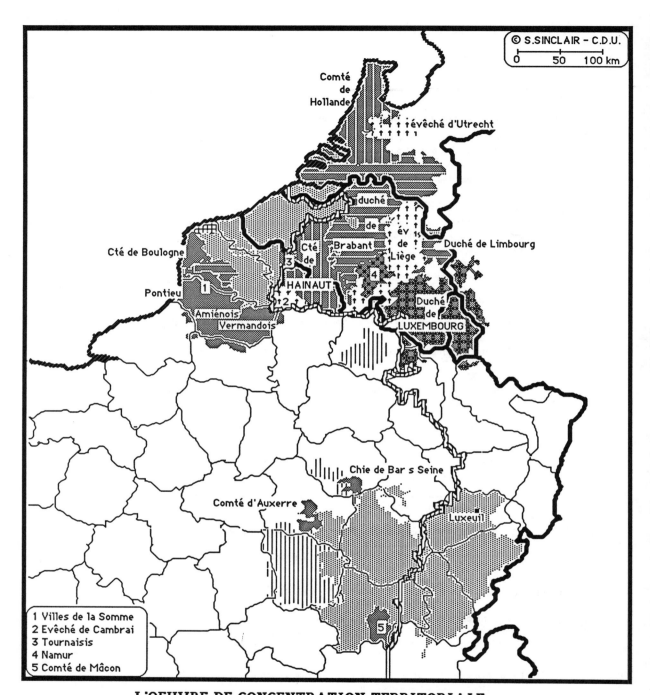

© S.SINCLAIR – C.D.U.

0   50   100 km

Comté
de
Hollande

†évêché d'Utrecht

duché

de

Brabant

év

de

Liège

Duché de Limbourg

Cté de Boulogne

Cté
de

HAINAUT

Pontieu

Amiénois

Vermandois

Duché
de
LUXEMBOURG

Chie de Bar s Seine

Comté d'Auxerre

Luxeuil

1 Villes de la Somme
2 Evêché de Cambrai
3 Tournaisis
4 Namur
5 Comté de Mâcon

L'OEUVRE DE CONCENTRATION TERRITORIALE
DE PHILIPPE LE BON
(1419–1467)

LEGENDE

Achat du marquisat de Namur 1421

Au marquis Jean III; possession effective après la mort de celui-ci, en 1428

L'administration Anglo-Bourguignonne; les acquis du traité d'Arras 1435

Après le meurtre de son père par un fidèle du dauphin Charles, Philippe le Bon s'allie résolument avec l'occupant anglais; son mariage avec Michelle, fille de Charles VI lui permettait en outre de réclamer des territoires, en vertu des impayés de la dot de Michelle.
Bedford, régent du Royaume lui attribua:

- le comté de Mâcon
- le comté d'Auxerre
- la chatellenie de Bar sur Seine;

par ailleurs, il lui confirma:

- les chatellenies de Péronne, Roye, Montdidier
- le comté de Vermandois;

enfin, la donation du Tournaisis ne put entrer dans les faits à cause de la fidélité des habitants au roi de France.

Mais dès les années 1430, Philippe se rapprocha du roi Charles VII, ce qui fut confirmé par le traité d'Arras de septembre 1435; les abandons du roi étaient importants:

- comtés de Mâcon et Auxerre
- chatellenie de Bar sur Seine
- chatellenies de Péronne, Roye, Montdidier; comté de Vermandois;

c'est à dire les territoires offerts ou confirmés par Bedford;
en plus le roi abandonna:

- les Villes de la Somme: Corbie, Saint-Quentin, Amiens et l'Amiénois, Abbeville et le Pontieu, Doullens
- le comté de Boulogne
- le Tournaisis sauf Tournai: Mortagne
- une partie du Cambrésis: Arleux, Crèvecoeur;

tous ces territoires étaient susceptibles d'être rachetés pour 400.000 écus d'or;

- la garde de l'abbaye de Luxeuil.

La mainmise sur les possessions de la branche de Rethel 1430

Philippe de Saint-Pol, dernier héritier d'Antoine mourut sans postérité en 1430; alors que ses possessions auraient du revenir à Charles de Nevers, représentant de la branche cadette de Nevers, Philippe les confisqua à son profit, ne laissant à Charles que le comté de Rethel; Philippe acquit ainsi:

- Le duché de Brabant et la seigneurie de Malines
- le duché de Limbourg.

La mainmise sur l'héritage de Jacqueline de Bavière 1432

Jacqueline de Bavière, veuve de Jean IV de Rethel tenta désespérément d'éviter l'intégration de ses terres dans les possessions bourguignonnes; en 1428 puis en 1432, elle dut abandonner ses possessions à Philippe:

- Le comté de Hainaut
- les comtés de Hollande, Zélande et Frise.

Acquisition du duché de Luxembourg 1443

Philippe impose à Elisabeth de Görlitz de gouverner le duché de son vivant.

Mainmise sur les principautés épiscopales des Pays-Bas

Philippe place ses bâtards et ses alliés:

- 1437: administration de Tournai par le chancelier Chevrot
- 1440: son bâtard, Jean évêque de Cambrai
- 1451: son bâtard, David à Thérouanne puis Utrecht
- 1455: son neveu, Louis de Bourbon à Liège.

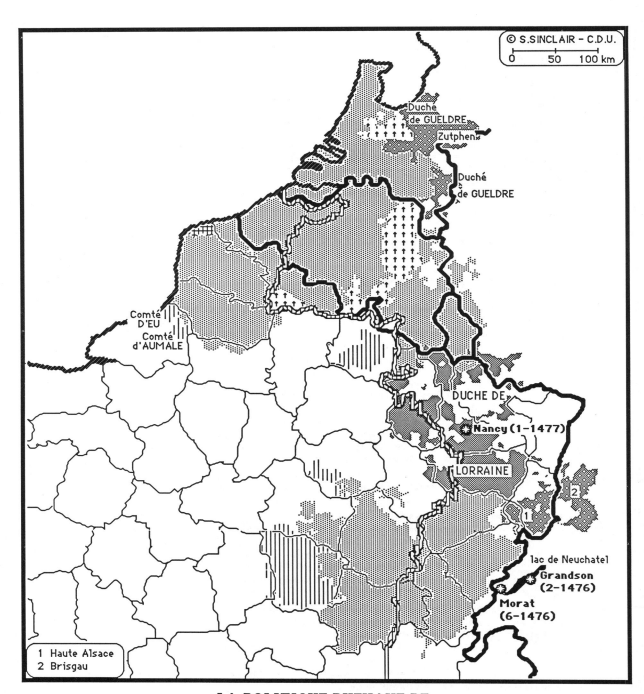

**LA POLITIQUE RHENANE DE
CHARLES LE TEMERAIRE
(1467-1477)**

94

LEGENDE

L'acquis

Territoires hérités de Philippe le Bon.

Evêchés des Pays-Bas controlés par des alliés de la famille valois de Bourgogne.

Les achats sur le Rhin : Gueldre et Basse-Alsace

1469 : traité de Saint Omer : Charles le Téméraire prend en mort-gage les territoires alsaciens de Sigismond d'Autriche :
- Landgraviat de Haute Alsace et Brisgau
- comté de Ferrette
- droits divers sur quatre villes en aval de Waldshut.

1473 : après avoir pris parti pour Arnold d'Egmont contre son fils Adolphe, Charles obtient du premier l'engagement du duché de Gueldre et du comté de Zutphen ; il les occupe en 1473.

L'annexion du duché de Lorraine 1475 – 1477

Le duché était le "pont territorial" qui manquait pour relier les Pays-Bas aux possessions de Bourgogne ; les Bourguignons y avaient de puissants appuis : famille de Neufchatel-Bourgogne dont un des membres est évêque de Toul en 1460 ; lors des guerres de succession qui avaient agité le duché, Philippe le Bon s'était allié avec Yolande dont le fils, René II devint duc en 1473 ; l'alliance fut confirmée (passage de troupes, places fortes aux mains des Bourguignons).

Cependant des différents dont il reste difficile de préciser la nature s'élevèrent entre Charles le Téméraire et René II qui se rallia à la Basse Union (1475) ; Charles conquit alors le duché de Lorraine, occupation qui ne prit fin qu'avec la mort de Charles devant Nancy en janvier 1477.

Possessions de la branche cadette de Nevers

outre ses possessions patrimoniales :
- Comté de Nevers
- comté de Rethel
- seigneuries champenoises,

cette famille acquiert de Charles VII :
- le comté d'Eu
- le comté d'Aumale

✿ **Morat**   Batailles importantes

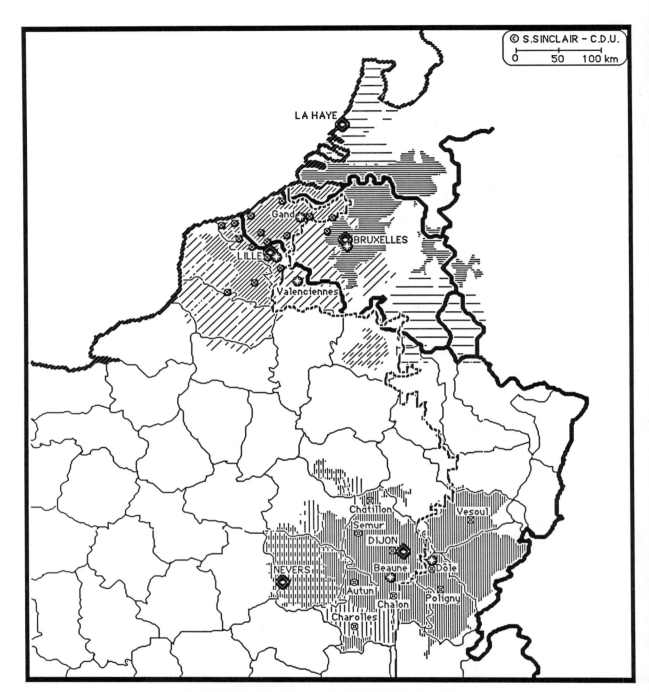

**EVOLUTION DE L'ADMINISTRATION
DES ETATS BOURGUIGNONS
(1384-1463)**

96

LEGENDE :

Le ressort du Parlement de Paris

ı'ıı¦ıı'' Frontière entre France et Empire au XIV° siècle. Mais les ducs de Bourgogne réussirent à se détacher de la suzeraineté du roi de France ; cela pouvait avoir des conséquences sur l'étendue du ressort du Parlement de Paris :

1435 : par le traité d'Arras, Philippe le Bon obtint d'être dégagé personnellement et viagèrement de l'hommage au roi.

1468 : traité de Péronne : Charles le Téméraire obtint de Louis XI que Gand, Ypres, Bruges et le franc de Bruges soient exemptés de l'appel au Parlement.

Après la chute des Etats Bourguignons, la Flandre passa dans les territoires des Habsbourg ; cet situation fut reconnue par les traités de Madrid 1526, Cambrai 1529 ("paix des Dames") et de Cateau-Cambrésis (1559).

Les chambres des comptes des Etats Bourguignons

◈ DIJON Chambre des comptes existant ou ayant disparu en 1463.

Chambre des comptes de Dijon

  état lors de sa fondation en 1386 : Duché de Bourgogne ; s'y ajoutent, au gré des acquisitions et héritages de Philippe le Hardi : Comté de Bourgogne, Comté de Nevers, seigneuries champenoises, comté de Charolles.

  Lors de la constitution du Comté de Nevers en "apanage" pour Philippe, en 1404, érection de Nevers en chambre des comptes : comté de Nevers, seigneuries champenoises puis comté de Rethel (ôté à la chambre des comptes de Lille).

  Accessions ultérieures à son ressort : comtés de Mâcon et Auxerre, chatellenie de Bar sur Seine.

Chambre des comptes de Lille

  Etat lors de sa création, en 1386 : comtés de Flandre et d'Artois, seigneurie de Malines, comté de Rethel.

  1404 : lors de la constitution "d'apanage" d'Antoine, le comté de Rethel est ôté de son ressort ; il est ultérieurement rattaché, comme tous les territoires de la branche cadette, à la chambre de Nevers (1430).

  Accessions ultérieures à son ressort : villes de la Somme, comté de Hainaut, comtés de Pontieu, de Vermandois.

Chambre des comptes de Bruxelles

  Créée par Antoine, qui hérite du Brabant en 1404 ; son ressort s'étend alors au duchés de Brabant et de Limbourg ; en 1406/1407 elle s'installe provisoirement à Vilvorde.

  accessions postérieures : duché de Luxembourg 1411 ; maintenue lors de l'annexion des territoires de la branche de Rethel par Philippe le Bon : s'ajoutent à son ressort toutes les annexions ultérieures dans le nord des Pays-Bas : Luxembourg (1443), Zélande et Frise (suppression de la chambre des comptes de LA HAYE créée en 1443, en 1463), Gueldre.

En 1473, la réforme de Charles le Téméraire prévoit d'unifier tous les territoires bourguignons des Pays-Bas dans le ressort de la Chambre des comptes de MALINES.

Parlements et administration locale

✪ DOLE parlement

◉ Poligny bailliage (ne sont nommés que les bailliages bourguignons ; les bailliages flamands sont : Alost, Audenarde, Bergues, Bourbourg, Bruges, Cassel, Courtrai, Douai, Furnes, Gand, Lille, Ypres, Bailleul, Warneton, Orchies, Termonde et Escaut à Ruppelmonde).

97

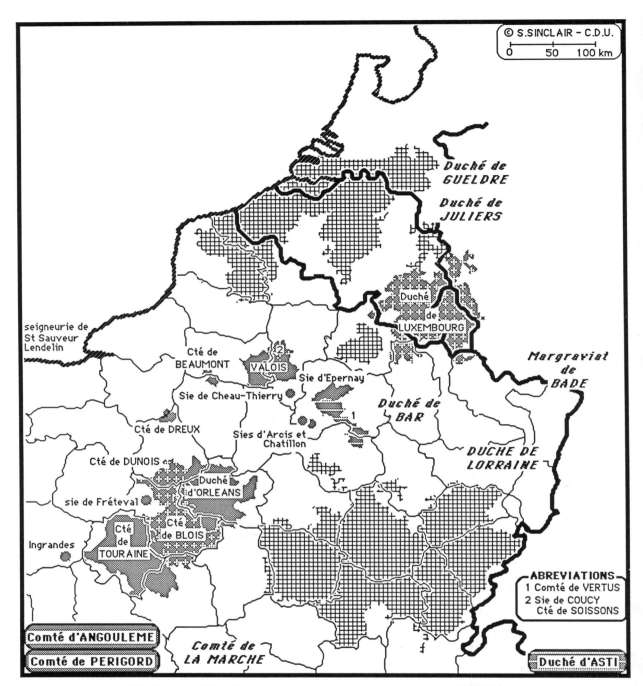

**L'IMBRICATION DES POSSESSIONS BOURGUIGNONNES
ET DES TERRES DE LOUIS D'ORLEANS
(état en 1407)**

98

LEGENDE

 Territoires bourguignons en 1403 (branche ainée de Bourgogne et branches cadettes de Rethel/ Brabant et de Nevers).

Les apanages de Louis (1375; 1386; 1392)

 1375: après la mort sans héritier de Philippe d'Orléans, Louis est apanagé du comté de Valois.

1386: apanagé du duché de Touraine.

1392: apanagé définitivement de:
- Comté de Valois (duché-pairie en 1406)
- Duché d'Orléans
- Comté de Beaumont sur Oise.

Apanages complétés par de nombreuses donations royales
1397: comté d'Angoulême
1399: comté de Périgord confisqué à Archambaud VI;
et diverses seigneuries et villes: Chateau-Thierry, Chatillon sur Marne, Epernay, Sézanne, Fréteval, Ingrandes, Saint-Sauveur Lendelin, Montargis etc.

La dot de Valentine Visconti 1389

 1389: mariage avec Valentine Visconti, dont la dot comporte:
- le comté de Vertus en Champagne
- le duché d'Asti en Italie du nord
et une forte somme d'argent qui permit à Louis de compléter ses possessions et ses alliances.

Les achats de terres et les alliances de Louis d'Orléans

 1391: achat des comtés de Blois et de Dunois à Guy de Chatillon, qui unifient les possessions ligériennes de Louis.

1400: achat de la seigneurie de Coucy à l'héritière, Marie de Coucy.

1402: achat du duché de Luxembourg à Josse de Luxembourg: acte d'hostilité évident à l'égard de Philippe le Hardi qui y exerça son autorité en 1401.

1404: achat à Marie de Coucy du comté de Soissons qui couvre la seigneurie de Coucy au nord.

BADE   En outre, Louis recourut au fief rente pour se créer de nombreuses fidélités dans les Pays-Bas et ainsi contrer l'hégémonie des Bourguignons: alliance avec le duc de Gueldre et de Zutphen, le duc de Lorraine, le duc de Bar (dont Marie de Coucy était la fille), divers princes rhénans (marquis de Bade, duc de Juliers etc.)

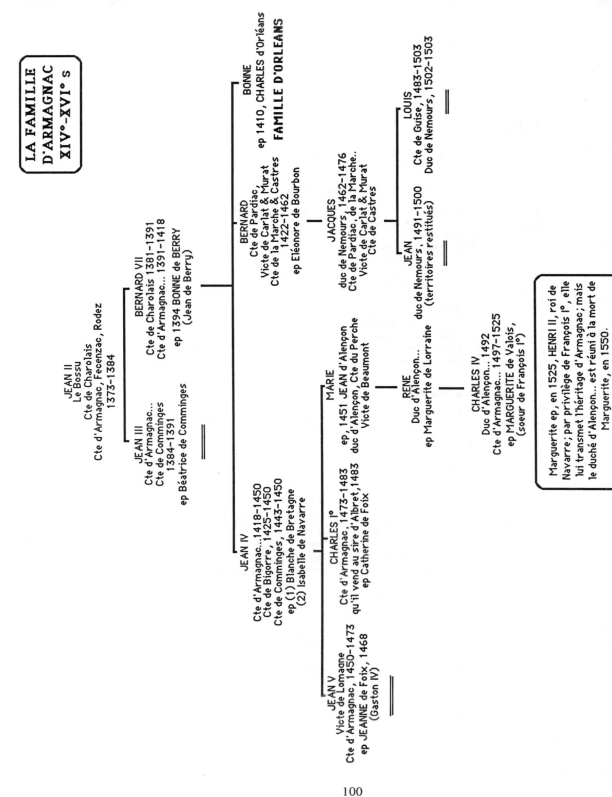

LA FAMILLE D'ARMAGNAC XIVe–XVIes

JEAN II
Le Bossu
Cte de Charolais
Cte d'Armagnac, Fecenzac, Rodez
1373–1384

JEAN III
Cte d'Armagnac...
Cte de Comminges
1384–1391
ep Béatrice de Comminges

BERNARD VII
Cte de Charolais 1381–1391
Cte d'Armagnac... 1391–1418
ep 1394 BONNE de BERRY
(Jean de Berry)

JEAN IV
Cte d'Armagnac...1418–1450
Cte de Bigorre, 1425–1450
Cte de Comminges, 1443–1450
ep (1) Blanche de Bretagne
(2) Isabelle de Navarre

JEAN V
Victe de Lomagne
Cte d'Armagnac, 1450–1473
ep JEANNE de Foix, 1468
(Gaston IV)

CHARLES Ier
Cte d'Armagnac, 1473–1483
qu'il vend au sire d'Albret, 1483
ep Catherine de Foix

MARIE
ep, 1451 JEAN d'Alençon
duc d'Alençon, Cte du Perche
Victe de Beaumont

RENE
Duc d'Alençon...
ep Marguerite de Lorraine

CHARLES IV
Duc d'Alençon... 1492
Cte d'Armagnac... 1497–1525
ep MARGUERITE de Valois,
(soeur de François Ier)

BERNARD
Cte de Pardiac,
Victe de Carlat & Murat
Cte de la Marche & Castres
1422–1462
ep Eléonore de Bourbon

BONNE
ep 1410, CHARLES d'Orléans
FAMILLE D'ORLEANS

JACQUES
duc de Nemours, 1462–1476
Cte de Pardiac, de la Marche..
Victe de Carlat & Murat
Cte de Castres

JEAN
duc de Nemours, 1491–1500
(territoires restitués)

LOUIS
Cte de Guise, 1483–1503
Duc de Nemours, 1502–1503

Marguerite ep, en 1525, HENRI II, roi de
Navarre ; par privilège de François Ier, elle
lui transmet l'héritage d'Armagnac ; mais
le duché d'Alençon... est réuni à la mort de
Marguerite, en 1550.

100

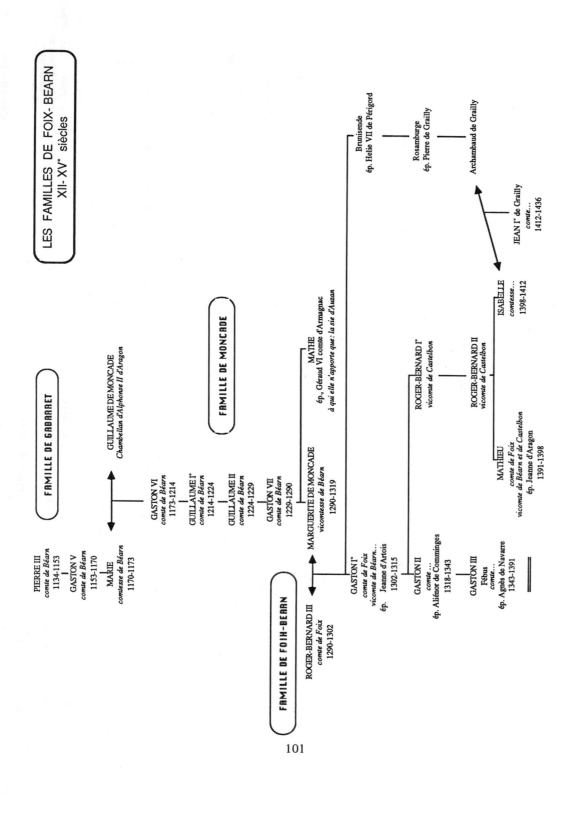

LES FAMILLES DE FOIX- BEARN
XII- XV° siècles

FAMILLE DE GABARRET

PIERRE III
comte de Béarn
1134-1153

GASTON V
comte de Béarn
1153-1170

MARIE
comtesse de Béarn
1170-1173

GUILLAUME DE MONCADE
Chambellan d'Alphonse II d'Aragon

GASTON VI
comte de Béarn
1173-1214

GUILLAUME I°
comte de Béarn
1214-1224

GUILLAUME II
comte de Béarn
1224-1229

GASTON VII
comte de Béarn
1229-1290

FAMILLE DE MONCADE

MARGUERITE DE MONCADE
vicomtesse de Béarn
1290-1319

MATHE
ép., Géraud VI comte d'Armagnac
à qui elle n'apporte que : la sie d'Auzan

FAMILLE DE FOIH-BEARN

ROGER-BERNARD III
comte de Foix
1290-1302

GASTON I°
comte de Foix
vicomte de Béarn...
ép.   Jeanne d'Artois
1302-1315

GASTON II
comte...
ép. Aliénor de Comminges
1318-1343

GASTON III
Fébus
comte...
ép. Agnès de Navarre
1343-1391

ROGER-BERNARD I°
vicomte de Castelbon

ROGER-BERNARD II
vicomte de Castelbon

MATHIEU
comte de Foix
vicomte de Béarn et de Castelbon
ép. Jeanne d'Aragon
1391-1398

ISABELLE
comtesse...
1398-1412

Brunisende
ép. Helie VII de Périgord

Rosamburge
ép. Pierre de Grailly

Archambaud de Grailly

JEAN I° de Grailly
comte...
1412-1436

101

LES FAMILLES DE BOURBON XIII° - XV°s

LOUIS IX
saint Louis
Roi de France

ROBERT
1269, Cte Clermont en Beauvaisis
1272, ep BEATRICE de BOURBON
héritière 1283
1283, Sire de Bourbon et de Charolais
† 1318

LOUIS I°
Le Grand
1310, Sire de Bourbon
1318, Cte de Clermont
1327, Duc de Bourbon
1327, Cte de la Marche
† 1341

PIERRE I°
1341, Duc de Bourbon,
Cte de Clermont

ep, 1337, Isabelle de Valois
(soeur Philippe VI)
† 1356

LOUIS II
Le Bon
1356, Duc de Bourbon...
1371, ep ANNE d'AUVERGNE
† 1416

JEAN I°
1400, ep MARIE de BERRY
(fille JEAN de BERRY)
1404, Cte de Clermont
1410, Duc de Bourbon ...
Duc d'Auvergne
Cte de Montpensier
† 1434

CHARLES I°
1424, Cte de Clermont
1434, Duc de Bourbon...
1425, ep AGNES de BOURGOGNE
(fille Jean Sans Peur)
† 1456

DUCS DE BOURBON

LOUIS I°
1428, ep JEANNE, ctesse de Clermont
et dauphine d'Auvergne
1434, Cte de Montpensier
† 1486

MONTPENSIER

1380, Cte de Forez
1400, Sr de Beaujolais
& des Dombes

JACQUES I°
1342, Cte de la Marche
1346, Cte de Ponthieu
† 1370

JEAN I°
1361, Cte de la Marche
1364, ep JEANNE de VENDOME,
Ctesse de Vendome et Castres
† 1393

JACQUES II
1393, Cte de la Marche
et de Castres

1415, ep JEANNE II,
reine de Naples et Sicile
se retire 1435 †1438

ELEONORE
Ctesse de la Marche & de Castres
ep, 1429 BERNARD d'ARMAGNAC

**Ctes de la MARCHE
Ctes de PARDIAC
†1417**

LOUIS
1412, Cte de Vendome
† 1446

JEAN II
Cte de Vendôme
†1478

FRANCOIS
1478, Cte de Vendôme
148'', ep MARIE DE LUXEMBOURG
ctesse de St Pol, de Marle,
de Soissons
Victesse de Meaux
†1495

BOURBON-VENDOME

102

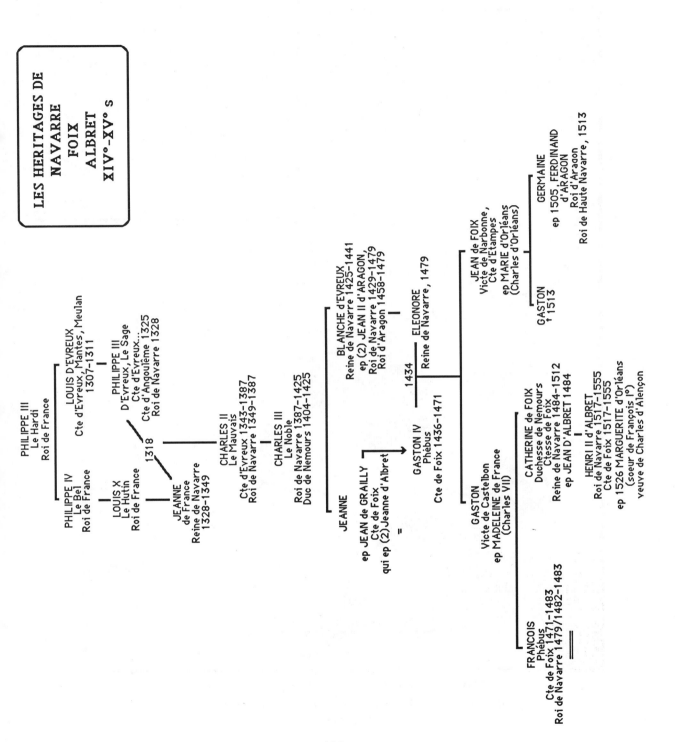

LES HERITAGES DE
NAVARRE
FOIX
ALBRET
XIV°-XV° s

PHILIPPE III
Le Hardi
Roi de France

LOUIS D'EVREUX
Cte d'Evreux, Mantes, Meulan
1307-1311

PHILIPPE IV
Le Bel
Roi de France

PHILIPPE III
D'Evreux, Le Sage
Cte d'Evreux...
Cte d'Angoulême 1325
Roi de Navarre 1328

LOUIS X
Le Hutin
Roi de France

1318

JEANNE
de France
Reine de Navarre
1328-1349

CHARLES II
Le Mauvais
Cte d'Evreux 1343-1387
Roi de Navarre 1349-1387

CHARLES III
Le Noble
Roi de Navarre 1387-1425
Duc de Nemours 1404-1425

JEANNE

ep JEAN de GRAILLY
Cte de Foix
qui ep (2)Jeanne d'Albret
=

BLANCHE d'EVREUX
Reine de Navarre 1425-1441
ep (2) JEAN II d'ARAGON,
Roi de Navarre 1429-1479
Roi d'Aragon 1458-1479

1434

ELEONORE
Reine de Navarre, 1479

GASTON IV
Phébus
Cte de Foix 1436-1471

JEAN de FOIX
Victe de Narbonne,
Cte d'Etampes
ep MARIE d'Orléans
(Charles d'Orléans)

GASTON
† 1513

GERMAINE
ep 1505, FERDINAND
d'ARAGON
Roi d'Aragon
Roi de Haute Navarre, 1513

GASTON
Victe de Castelbon
ep MADELEINE de France
(Charles VII)

CATHERINE de FOIX
Duchesse de Nemours
Ctesse de Foix
Reine de Navarre 1484-1512
ep JEAN D'ALBRET 1484

HENRI II d'ALBRET
Roi de Navarre 1517-1555
Cte de Foix 1517-1555
ep 1526 MARGUERITE d'Orléans
(soeur de François I°)
veuve de Charles d'Alençon

FRANCOIS
Phébus
Cte de Foix 1471-1483
Roi de Navarre 1479/1482-1483

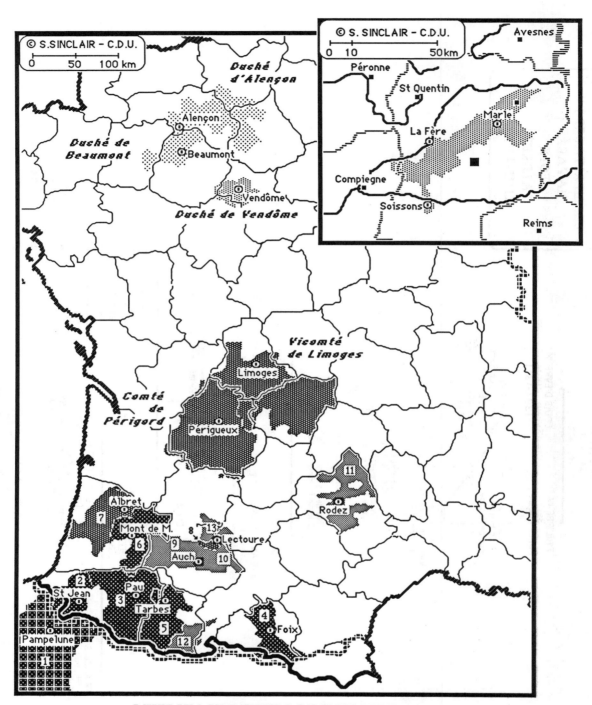

L'HERITAGE D'HENRI DE NAVARRE:
les regroupements territoriaux dans le Sud Ouest
XV°-XVI° s.

104

LEGENDE

Frontière du Royaume en 1610

Les héritages de Navarre; 1481/1513

1436 – Eléonore de Navarre épouse Gaston IV de Foix
1455 – Eléonore est choisie comme héritière de Navarre
1469 – héritage d'Eléonore qui meurt en 1479
1481 – son petit-fils, François Fébus devient roi de Navarre
1484 – à sa mort, sa soeur Catherine hérite
1505 – Germaine de Foix, représentante d'une autre branche, épouse Ferdinand
        d'Aragon

1513 – les Aragonais s'emparent de la Haute Navarre

Catherine conserve la Basse Navarre

La réunion des domaines d'Albret et de Béarn; 1484

1- Concentration des domaines de Foix-Béarn aux mains de Catherine de Foix

- domaines de la branche ainée : 3 = vicomté de Béarn; 4 = comté de Foix (1290)
   5 = comté de Bigorre (1425)
- domaines de la branche cadette : 6 = Tursan, Marsan, Gabardan; Villemur
   Lautrec

2 – Mariage de Catherine de Foix et de Jean d'Albret (1484)

domaines d'Albret: 7 = seigneurie d'Albret et vicomté de Tartas;
8 = comté de Gaure; diverses seigneuries en Bazadais et Condomois;
vicomtés de Limoges et comté de Périgord, achetés en 1481 aux Blois-Penthievre

Réunion des domaines d'Armagnac et de Béarn-Albret; 1527

1- Concentration des domaines d'Armagnac

- domaines de de la branche ainée à la mort de Charles II en 1525 :
   9 = comté d'Armagnac; 10 = comté de Fécenzac; 11 = comté de Rodez
   12 = vicomté des Quatre Vallées; 13 = vicomté de Lomagne;
   seigneurie de l'Isle-Jourdain
- domaines de la branche issue de Charles de Fécenzaguet
- domaines de la branche cadette issue de Bernard d'Armagnac, mort en 1503 :
   comté de Pardiac

2- Mariage de Marguerite d'Angoulême et d'Henri d'Albret; 1527

1515 - mariage en premières noces de Marguerite et de Charles d'Alençon, que
        François Iº établit comme héritier des domaines d'Armagnac
1525 - mort de Charles d'Alençon qui établit sa femme comme héritière
        d'Armagnac
1527 - mariage en secondes noces de Marguerite et d'Henri d'Albret

Réunion des domaines du Sud-Ouest aux domaines de Bourbon-Vendôme;1555

- domaines de Bourbon-Vendôme: duché de Vendôme (1442);
   seigneuries de Marle, La Fère, Soissons achetées à la maison de Luxembourg
   en 1487.
- 1555: mariage d'Antoine de Bourbon et de Jeanne d'Albret

La donation royale de 1584

A l'occasion du mariage de Marguerite de Valois et d'Henri de Navarre, Henri III
leur cède les duchés d'Alençon et de Beaumont-le-Vicomte, tombés en déshérence
après la mort de François d'Alençon, en 1584.

Chapitre V

L'époque moderne et contemporaine : la fixation des frontières de la France

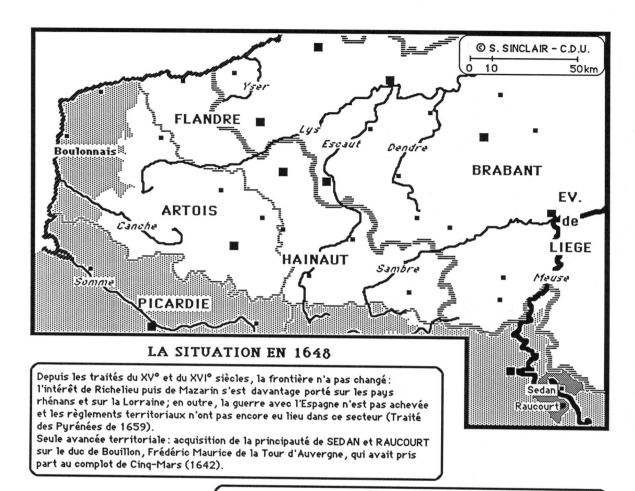

LA SITUATION EN 1648

Depuis les traités du XV° et du XVI° siècles, la frontière n'a pas changé : l'intérêt de Richelieu puis de Mazarin s'est davantage porté sur les pays rhénans et sur la Lorraine ; en outre, la guerre avec l'Espagne n'est pas achevée et les règlements territoriaux n'ont pas encore eu lieu dans ce secteur (Traité des Pyrénées de 1659).

Seule avancée territoriale : acquisition de la principauté de SEDAN et RAUCOURT sur le duc de Bouillon, Frédéric Maurice de la Tour d'Auvergne, qui avait pris part au complot de Cinq-Mars (1642).

Les acquisitions en Alsace et en Lorraine sont beaucoup plus conséquentes :
1641 : Traité de Paris avec Charles IV duc de Lorraine :
- le duché lui est rendu ;
- acquisitions territoriales de la France : Clermont, Stenay, Jametz, Nancy
- droit de passage à travers le duché.
1642 : acquisition de la principauté de SEDAN et RAUCOURT.
1644 : traité de Sarreguemines avec Charles IV : occupation de Lamothe.

1648 : Traités de Westphalie :
- Reconnaissance de l'occupation des TROIS EVECHES
- LANDGRAVIAT de HAUTE et BASSE ALSACE
- SUNDGAU
- préfecture des DIX VILLES IMPERIALES
- conservation des têtes de pont de BRISACH et PHILIFSBOURG.

108

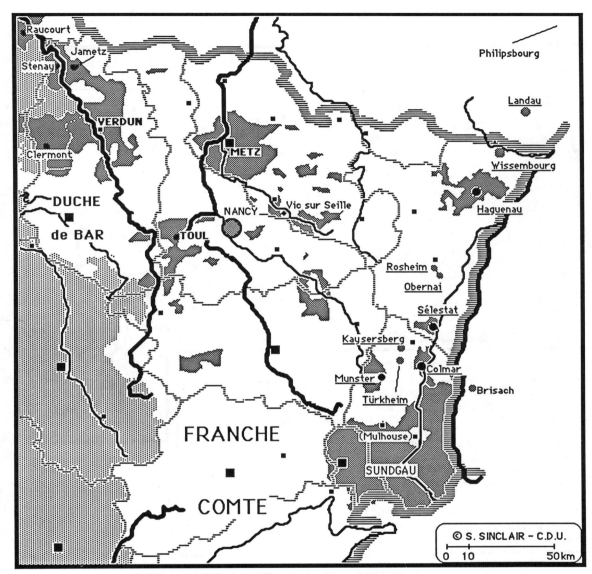

LA SITUATION DANS L'EST EN 1648

LA SITUATION DE 1648 à 1659

Clauses du Traité des Pyrénées (7 novembre 1659)

Acquisition de L'ARTOIS : Arras, Lillers, Béthune, Saint-Pol, Hesdin, Bapaume.
Acquisition du QUARTIER DE TERRE FRANCHE en Flandre : Gravelines et Bourbourg.
Acquisition de l'enclave de THEROUANNE en Artois.
Acquisition du QUESNOY et LANDRECIES en Hainaut.
Acquisition de PAYS D'ENTRE SAMBRE ET MEUSE : Avesnes, et les places de
        Philippeville et Mariembourg.
Acquisition de TERRITOIRES LUXEMBOURGEOIS : Ivoy et Montmédy.

Acquisition de Dunkerque (1658-1662)

Conquise par les Anglais en 1653, elle dut être rachetée quatre millions de
livres.

Conséquences du traité des PYRENEES

- Acquisitions EN LUXEMBOURG : Marville, Montmédy, Thionville, Damvillers.
- Acquisition du DUCHE DE BAR.
- maintien à la France de CLERMONT.

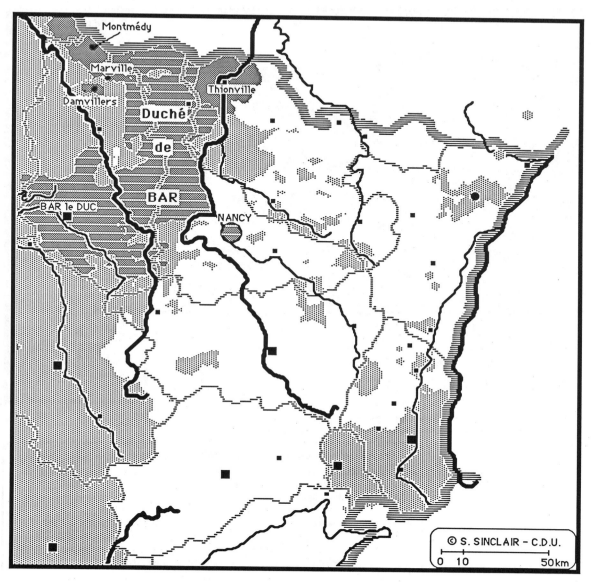

LA SITUATION DE 1648 à 1659

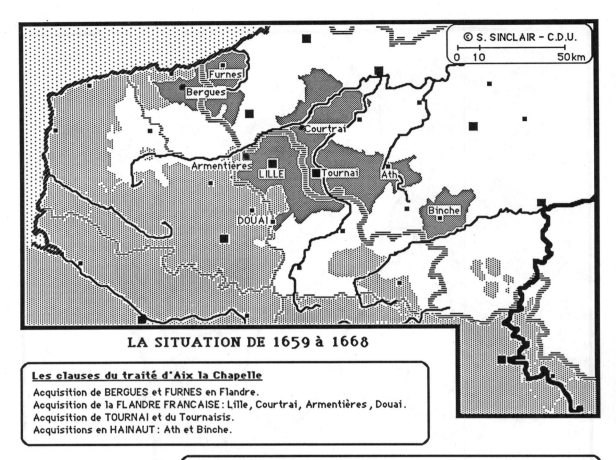

LA SITUATION DE 1659 à 1668

Les clauses du traité d'Aix la Chapelle

Acquisition de BERGUES et FURNES en Flandre.
Acquisition de la FLANDRE FRANCAISE: Lille, Courtrai, Armentières, Douai.
Acquisition de TOURNAI et du Tournaisis.
Acquisitions en HAINAUT: Ath et Binche.

Le traité de VINCENNES [28-2-1661]

- Louis restitua à Charles IV ses territoires annexés à l'issue de la Paix des
  Pyrénées (BARROIS), ou jamais restitués (Duché de Lorraine lui même).
- En contrepartie, Charles IV doit :
  - faire démanteler Nancy
  - céder au roi: GORZE, SIERCK, PHALSBOURG et SARREBOURG
  - autoriser le passage des troupes royales et la présence de
    garnisons dans des places bordant la route de Verdun au
    Rhin: Mars-la Tour, Solgne, Chambrey, Gondrezange...

Le traité de Montmartre [7-2-1662]

- Charles IV s'engage à laisser les deux duchés au roi moyennant une pension.

Le traité de NoMény [31-8-63]

- Charles n'ayant pas accepté le précédent traité doit céder MARSAL.

112

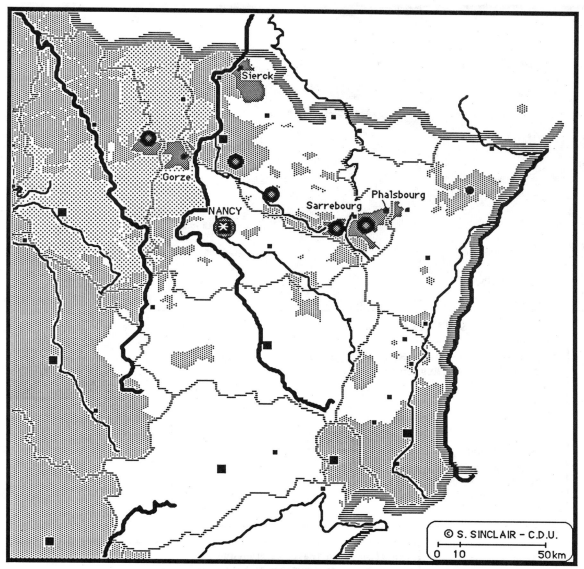

LA SITUATION DE 1659 à 1668

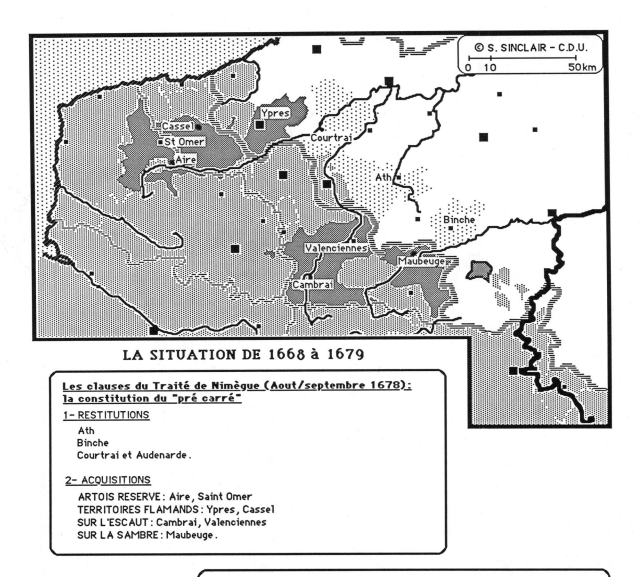

LA SITUATION DE 1668 à 1679

Les clauses du Traité de Nimègue (Aout/septembre 1678):
la constitution du "pré carré"

1- RESTITUTIONS

    Ath
    Binche
    Courtrai et Audenarde.

2- ACQUISITIONS

    ARTOIS RESERVE : Aire, Saint Omer
    TERRITOIRES FLAMANDS : Ypres, Cassel
    SUR L'ESCAUT : Cambrai, Valenciennes
    SUR LA SAMBRE : Maubeuge.

Les clauses du traité de Nimègue

- cession de la FRANCHE-COMTE à la France ;
- propositions au duc Charles IV, qu'il refuse : les duchés de BAR et de LORRAINE
  sont conservés par le roi ;
- échange de Philipsbourg contre FRIBOURG EN BRISGAU.

Assimilation de l'Alsace par l'intendant Colbert de Croissy

114

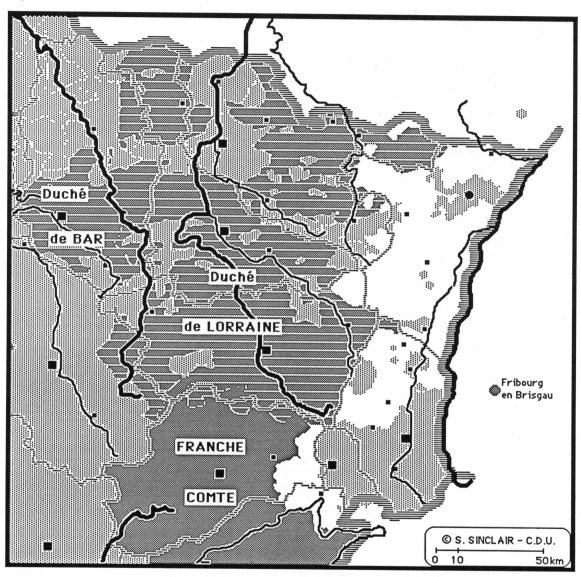

Duché de BAR

Duché de LORRAINE

FRANCHE COMTE

Fribourg en Brisgau

© S. SINCLAIR – C.D.U.

0 10   50km

LA SITUATION DE 1668 à 1679

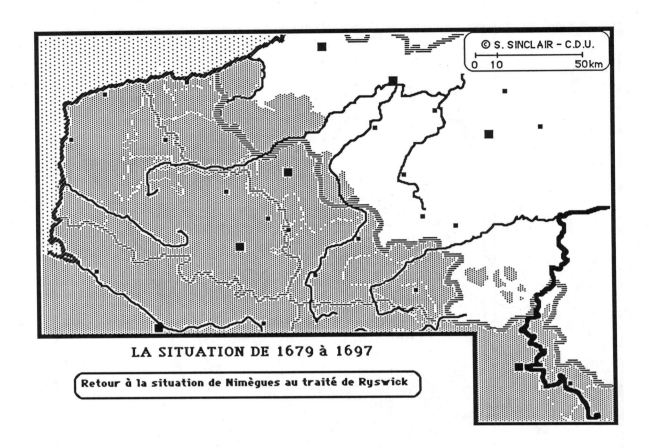

LA SITUATION DE 1679 à 1697

Retour à la situation de Nimègues au traité de Ryswick

Les clauses du traité de Ryswick [septembre/octobre 1697]

- restitution de toutes les terres annexées durant la guerre ou par la politique des Réunions; sauf: STRASBOURG ainsi que toute l'Alsace dont l'assimilation était cependant antérieure, les Réunions n'ayant fait que clarifier la situa--tion juridique des terres.
- restitution de la Lorraine et du Barrois au duc de Lorraine, après une occu--pation de fait de plus de 40 ans; le roi garde cependant LONGWY et SARRELOUIS.

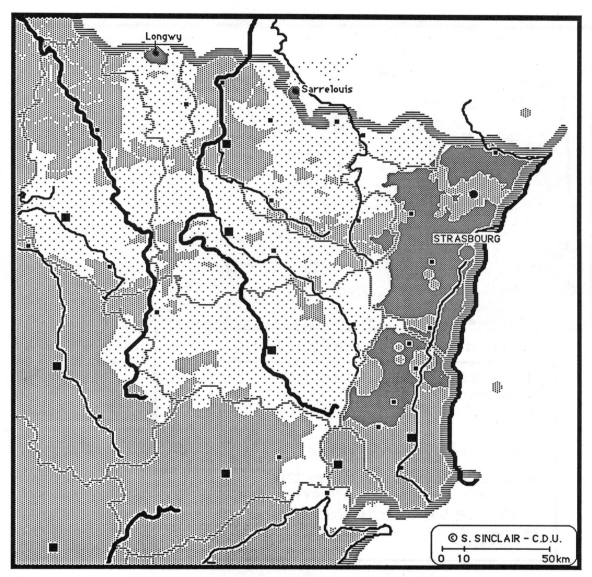

LA SITUATION DE L'EST DE 1679 à 1697

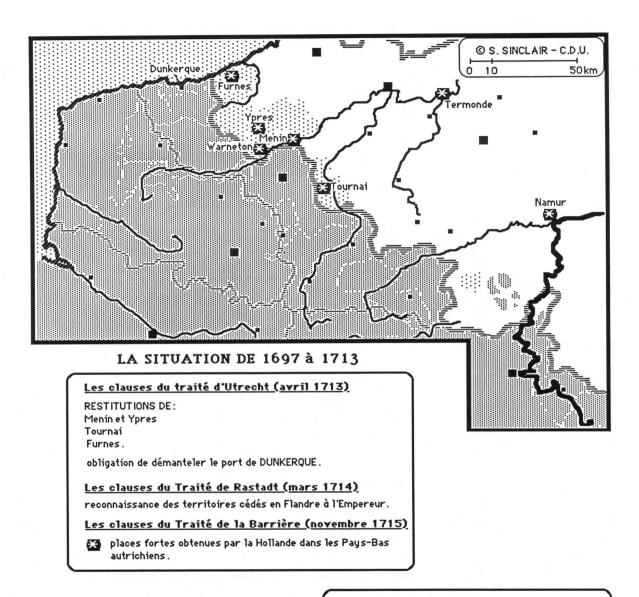

LA SITUATION DE 1697 à 1713

Les clauses du traité d'Utrecht (avril 1713)

RESTITUTIONS DE :
Menin et Ypres
Tournai
Furnes.

obligation de démanteler le port de DUNKERQUE.

Les clauses du Traité de Rastadt (mars 1714)

reconnaissance des territoires cédés en Flandre à l'Empereur.

Les clauses du Traité de la Barrière (novembre 1715)

�҉ places fortes obtenues par la Hollande dans les Pays-Bas
autrichiens.

Statu-quo territorial en Lorraine et en Alsace

118

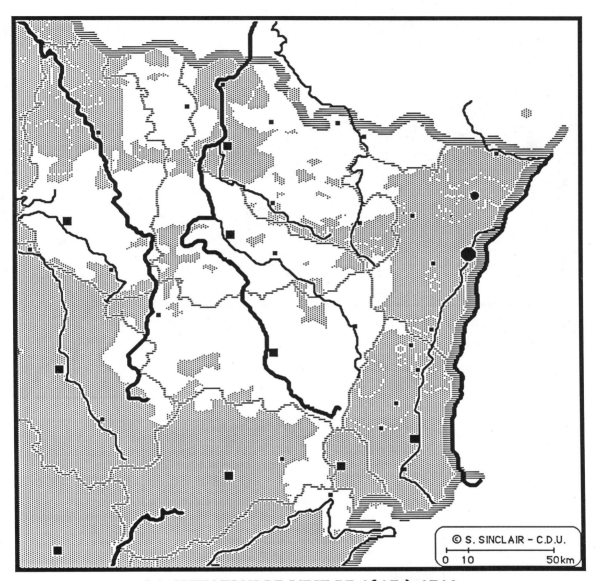

LA SITUATION DE L'EST DE 1697 à 1713

119

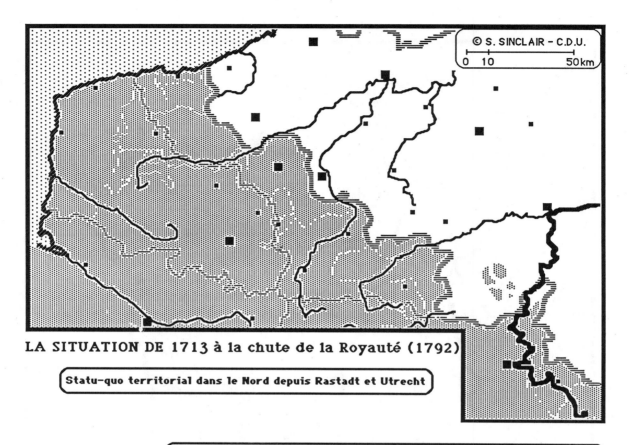

LA SITUATION DE 1713 à la chute de la Royauté (1792)

Statu-quo territorial dans le Nord depuis Rastadt et Utrecht

Acquisition de la LORRAINE [1766]

- Le mariage de François III duc de Lorraine et de l'héritière à l'Empire,
  Marie-Thérése, en 1736, l'occupation du duché pendant la guerre de
  Succession de Pologne et la dépossession du beau-père de Louis XV,
  Stanislas Leczinski favorisèrent "l'échange lorrain" des préliminaires
  de Vienne : Stanislas est fait duc de Lorraine et de Bar, moyennant sa
  renonciation au trône de Pologne ; François reçoit l'expectative du
  grand duché de Toscane.
- ces clauses sont complétées par la convention de Meudon [30-9-1736]
  par laquelle Stanislas abandonnait l'administration des duchés lorrains
  contre une pension.
- à la mort de Stanislas, en 1766, les duchés de Lorraine et de Bar furent
  annexés.

Acquisitions consécutives à l'abolition des privilèges (4 aout 1789)

- Comtè de SAARWERDEN
- Principauté de SALM

Enclaves territoriales subsistantes en 1792 dans le nord et l'est

- principauté de MONTBELIARD qui appartient au duc de Wurtemberg
- République de MULHOUSE

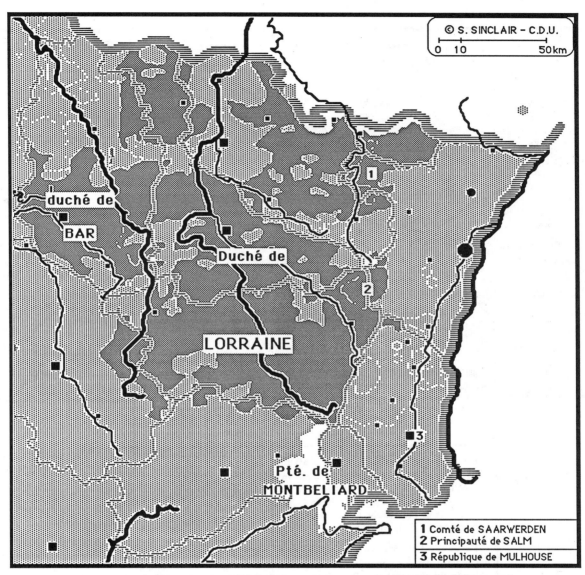

0 10   50km

duché de
BAR

Duché de

LORRAINE

1

2

3

Pté. de
MONTBELIARD

1 Comté de SAARWERDEN
2 Principauté de SALM
3 République de MULHOUSE

LA SITUATION DE 1714 à la chute de la Royauté (1792)

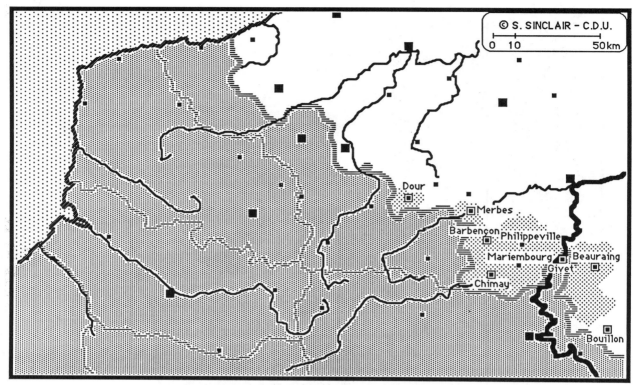

LA FRONTIERE DU NORD 1814-1815

Le premier traité de Paris (30 mai 1814)

Retour aux frontières de 1789, avec en plus :
- AVIGNON et le COMTAT VENAISSIN
- le territoire de la principauté de MONTBELIARD
- la ville de MULHOUSE et son territoire
- une partie de la SAVOIE

Le second traité de Paris (20 novembre 1815)

Les Cent Jours s'achevèrent par la bataille de Waterloo et le traité de Paris qui réduisait la valeur défensive de la frontière du nord-est et retirait plusieurs territoires à la France :
- Victor-Emmanuel de Piémont-Sardaigne récupéra la partie de la SAVOIE laissée à la France en 1814.
- perte des territoires qui donnaient accès au Léman : VERSOIX, PREGNY et GRAND SACCONEX.
- perte de PHILIPPEVILLE, MARIEMBOURG, BEAURAING, DOUR, MERBES, CHIMAY.
- perte de LANDAU et SARRELOUIS.

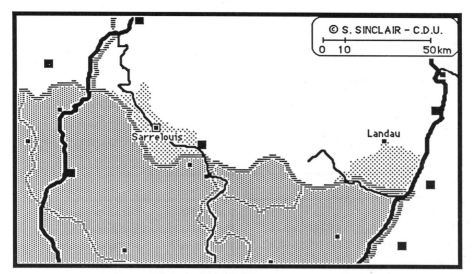

LA FRONTIERE DE L'EST 1814-1815

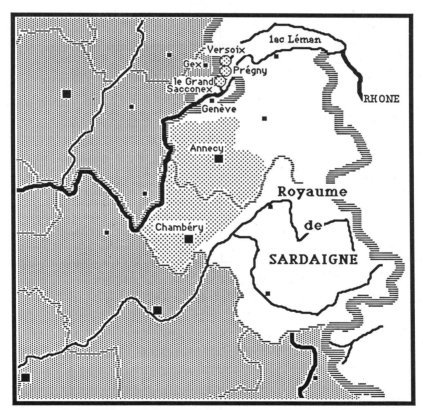

LA FRONTIERE DU SUD EST 1814-1815

123

jusqu'en 1870	1871_1914	1914_1945	Départements actuels
BAS RHIN STRASBOURG Wissembourg Saverne Sélestat	**ELSAß** **LOTHRINGEN**	**BAS RHIN** STRASBOURG Wissembourg Saverne Sélestat Haguenau Molsheim Erstein	**BAS RHIN** STRASBOURG Wissembourg Saverne Sélestat Haguenau Molsheim
HAUT RHIN COLMAR Mulhouse Délémont Porrentruy	**ELSAß** **LOTHRINGEN**	**HAUT RHIN** COLMAR Mulhouse Ribauvillé Guebwiller Thann Altkirch	**HAUT RHIN** COLMAR Mulhouse Ribauvillé Guebwiller Thann Altkirch
Belfort	**Territoire de** **BELFORT** BELFORT	**Territoire de** **BELFORT** BELFORT	**Territoire de** **BELFORT** BELFORT

LES DEPARTEMENTS ALSACIENS
à l'issue du traité de Francfort

jusqu'en 1870	1871_1914	1914_1945	Départements actuels
MEURTHE NANCY Toul Lunéville	**MEURTHE &** **MOSELLE** NANCY Toul Lunéville	**MEURTHE &** **MOSELLE** NANCY Toul Lunéville	**MEURTHE &** **MOSELLE** NANCY Toul Lunéville
Chateau-Salins Sarrebourg **MOSELLE** METZ Sarreguemines Thionville	**ELSAB** **LOTHRINGEN**	**MOSELLE** METZ Chateau-Salins Sarrebourg Sarreguemines Thionville + Boulay Forbach Metz-Campagne	**MOSELLE** METZ Chateau-Salins Sarrebourg Sarreguemines Thionville Boulay Forbach
Briey	Briey **(MEURTHE &** **MOSELLE)**	Briey **(MEURTHE &** **MOSELLE)**	Briey **(MEURTHE &** **MOSELLE)**

LES DEPARTEMENTS LORRAINS
à l'issue du traité de Francfort

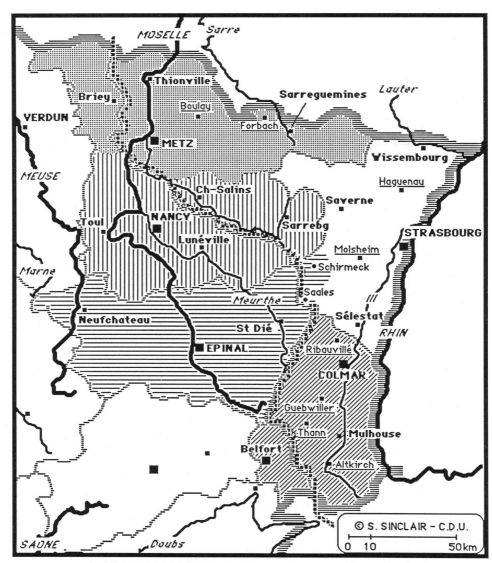

LES DEPARTEMENTS D'ALSACE-LORRAINE
à l'issue du traité de Francfort

LEGENDE:

Les départements alsaciens-lorrains avant et apres le traité

Haut Rhin annexé par la Prusse sauf le Territoire de Belfort, conservé à la France pour sa courageuse défense ; territoire autonome après le traité de Versailles.

Meurthe amputée des arrondissements de Chateau-Salins et Sarrebourg.

Moselle   amputée des arrondissements de Metz, Sarreguemines, Thionville.

Vosges amputées des cantons de Saales et Schirmeck (arrdt. de St Dié).

frontière franco-allemande de 1871 à 1919.

Les départements actuels

limite départementale

■ ▪ Préfecture , sous-préfecture

Toul   Préfecture, sous-préfecture existant avant 1870.

Forbach   Préfecture, sous-préfecture créée après 1919.

(non comprises celles qui furent supprimées entre temps).

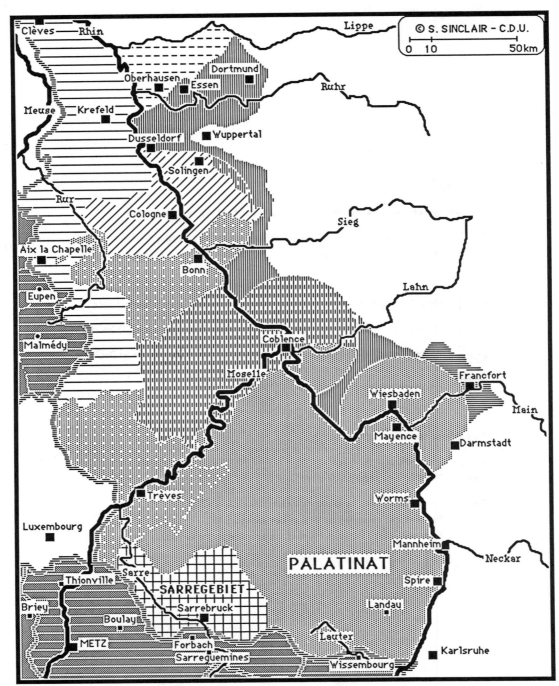

**LE TRAITÉ DE VERSAILLES DE 1919
ET SES SUITES (1919-1925).**

LEGENDE:

Le traité de Versailles (clauses territoriales). 28 juin 1919.

 Cession immédiate de :
- Eupen et Malmédy à la Belgique.
- l'Alsace-Lorraine à la France (déjà occupée selon les termes de l'armistice de Rethondes, 11 novembre 1918).

 Territoire de la Sarre maintenu sous la tutelle de la SDN pour une période de 15 ans à l'issue de laquelle un plebiscite serait organisé ; les revendications de la France, qui désirait annexer ce territoire, au nom de précédents historiques (traité de Paris de 1814), ne furent pas prises en compte, sauf pour les mines d'Etat de la Sarre qui furent cédées à la France en dédommagement des destructions occasionnées dans les mines du nord par l'occupant allemand.

Occupation de la Rive Gauche du Rhin et de têtes de pont sur le Rhin qui devaient être libérées selon un calendrier précis :
- zone de Cologne après 5 ans.
- zone de Coblence après 10 ans.
- zone de Mayence après 15 ans.

Les alliés s'étaient partagé les territoires occupés :
- zone d'occupation française :
    + territoires occupés après l'armistice.
    + territoires occupés au terme du traité de Versailles (nous n'avons pas indiqué les territoires occupés entre 1918 et 1919).
- zone d'occupation américaine.

- zone d'occupation anglaise.

- zone d'occupation belge.

Création d'une zone démilitarisée sur la Rive Gauche du Rhin et dans une zone de 50 km de largeur sur la Rive Droite du Rhin. (non représentée).

Les modifications territoriales après le traité (les "prises de gages").

 Occupation alliée de la région de Francfort-Hanau pour protester contre la violation par la Reichswehr de la zone démilitarisée de la Rive Droite du Rhin (avril 1920-mai 1920).

Nous n'avons pas représenté l'occupation alliée de Duisbourg, Dusseldorf, Ruhrort en mars 1920, car elle interfère avec les territoires occupés en 1923 par la France et la Belgique.

 Désengagement américain : le Congrès refuse de ratifier le traité de Versailles ; signature d'un traité de paix séparée avec l'Allemagne et retrait des troupes d'occupation de Rhénanie en 1922.

Occupation de la Ruhr à l'initiative de Poincaré, le 11 janvier 1923 :
- zone occupée par les français (trois divisions).
    + zone conquise en Allemagne
    + zone prise sur les territoires occupés par les Anglais.

- zone occupée par les Belges.

Cette occupation – qui s'était accompagnée de mesures à caractère économique (prises de gages en nature, puis, devant la résistance passive des ouvriers allemands, saisie des usines où sont embauchés des soldats français) – s'acheva en 1925.

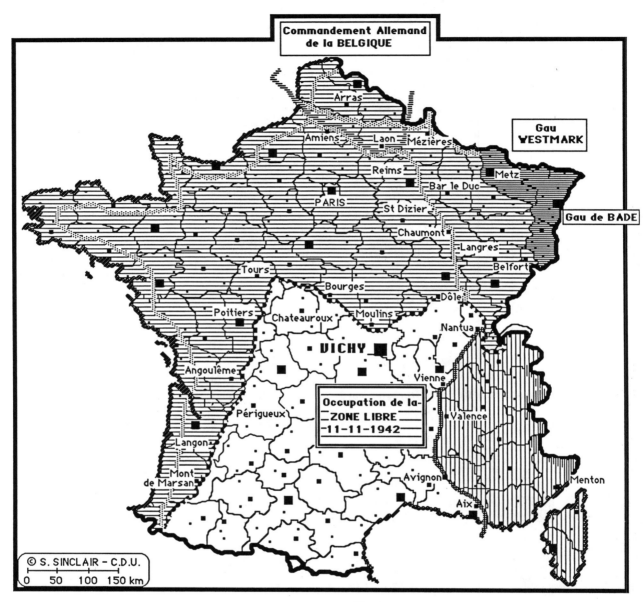

Commandement Allemand
de la BELGIQUE

Gau
WESTMARK

Gau de BADE

Arras

Amiens   Laon   Mézières

Reims   Metz

Bar le Duc

PARIS   St Dizier

Chaumont

Langres

Tours   Belfort

Bourges   Dôle

Poitiers   Chateauroux   Moulins   Nantua

VICHY

Angoulême   Vienne

Occupation de la
ZONE LIBRE
11-11-1942

Périgueux   Valence

Langon

Mont
de Marsan   Avignon   Menton

Aix

0   50   100   150 km

LA FRANCE OCCUPEE (1940-1944)

LEGENDE:

Les territoires annexés

Départements annexés au Reich {Moselle rattachée au Gau Westmark
Haut Rhin & Bas Rhin rattachés au Gau de Bade.

Départements annexés de fait au Troisième Reich (Nord et Pas de Calais séparés de la zone interdite et rattachés administrativement au commandement allemand en Belgique).

Les territoires sous controle ennemi

Zone occupée par les forces Allemandes (étendue à l'ensemble du territoire après le débarquement allié en Afrique du Nord; 11 novembre 1942).

Limite des zones interdites – zone interdite du Nord: les habitants ayant fui pendant l'Exode ne peuvent s'y réinstaller.
– zone interdite côtière établie en 1941.

Zone occupée dès l'armistice par les forces italiennes.

Zone occupée par les forces italiennes en novembre 1942.

La zone "libre"

Zone dite libre et sous la tutelle du gouvernement de Vichy (occupée par les forces allemandes le 11-11-42).

131

Deuxième partie

GEOGRAPHIE ADMINISTRATIVE & JUDICIAIRE (IX-XX^{e}s.)

Chapitre Ier

Géographie administrative de la France (XVI-XXes.)

LES GOUVERNEMENTS D'ANCIEN REGIME

XV° s.-1542	1545-1579	1579	Guerres de Religions	Louis XIII Louis XIV	XVIII° s.	Principaux pays
				+ FLANDRE	1668 FLANDRE	Marit.: Cassel Wallonne: Lille Cambrésis Hainaut fr.: Val.
PICARDIE	PICARDIE	PICARDIE	PICARDIE	PICARDIE	PICARDIE	*Hte* Amiénois Santerre: Péronne Verm.: St Quentin Thiérache: Guise *Basse* Calaisis Boulonnais Ponthieu: Abbeville Vimeu: St Valéry
					ARTOIS 1765	Artois: Arras
					+ LORRAINE 1766 3 *évêchés*	Metz Toul Verdun *Barrois* *Lorraine* Française: Nancy allde: Sarreguem. Vosges: St Dié *Bouillon (Pté)*
				+ ALSACE 1648	ALSACE	Hte: Colmar Basse: Strasbourg Sundgau: Belfort

XV°s.-1542	1545-1579	1579	Guerres de Religions	Louis XIII Louis XIV	XVIII° s.	Principaux pays
CHAMPAGNE	CHAMPAGNE	CHAMPAGNE	CHAMPAGNE	CHAMPAGNE	CHAMPAGNE	*Champ.: Troyes* Rethelois Porcien Rémois Perthois: Vitry Vallage: Joinville Bassigny: Langres Sénonais: Sens *Brie: Provins* Hte.: Meaux Pouilleuse: Chatea Thierry Basse: Provins
(ILE DE FRANCE)	ILE DE FRANCE	ILE DE FRANCE	ILE DE FRANCE	ILE DE FRANCE	ILE DE FRANCE	Vexin français Parisis Beauvaisis Soissonnais Noyonnais Laonnois Valois: Crépy Mantois Hurepoix: Corbeil Brie Française Gâtinais: Melun
NORMANDIE	NORMANDIE	NORMANDIE	NORMANDIE	NORMANDIE	NORMANDIE	*Hte Ndie: Rouen* Roumois Ouche: Evreux Lieuvin: Lisieux Auge: Livarot Marches: Argentan *Basse: Caen* Alençon Caen Bessin: Bayeux Bocage: Vire Oulme: Domfront Cotentin: Cout. Avranchin

137

XVᵉs.-1542	1545-1579	1579	Guerres de Religions	Louis XIII Louis XIV	XVIIIᵉ s.	Principaux pays
	+ BRETAGNE	BRETAGNE	BRETAGNE	BRETAGNE	BRETAGNE	*Hte: Rennes* *Basse: Vannes*
	+ ORLEANAIS	ORLEANAIS	ORLEANAIS	ORLEANAIS	ORLEANAIS	*Beauce* Chartrain Dunois:Chateaudu Vendômois Orléanais Puisaye: Briare Blaisois: Blois Sologne:Romoran? Gâtinais:Montargis
			Maine et Perche	MAINE …	MAINE …	*Haut: Mayenne* *Bas: Le Mans* *Perche: Mortagne*
			ANJOU	ANJOU	ANJOU	Propre: Angers Saumurois Mauges: Cholet Besugeois: Baugé
			TOURAINE	TOURAINE	TOURAINE	*Hte:Tours* *Basse: Amboise*
			NIVERNAIS	NIVERNAIS	NIVERNAIS	Nivernais
			BERRY	BERRY	BERRY	*Haut: Bourges* *Bas: Issoudun*
			POITOU	POITOU	POITOU	*Haut: Poitiers* *Bas: Fontenay* Loudunais Herbauge,Tiffauge Thouarsais

XVᵉ s.-1542	1545-1579	1579	Guerres de Religions	Louis XIII Louis XIV	XVIIIᵉ s.	Principaux pays
BOURGOGNE	BOURGOGNE	BOURGOGNE	BOURGOGNE	BOURGOGNE	BOURGOGNE	Auxerrois Tonnerrois Bassigny: Chaumt Auxois: Semur Dijonnais Autunois Chalonnais Charolais Bresse: Bourg Bugey: Belley Gex et Valromey 1761: Dombes
				+ FRANCHE COMTE 1678	FRANCHE COMTE	*Amont: Vesoul* *Aval: Salins* *Besançon* *Dôle*
		+ LYONNAIS	LYONNAIS	LYONNAIS	LYONNAIS	*Lyonnais* *Forez: Feurs* *Beaujolais: Villefr*
			AUVERGNE	AUVERGNE	AUVERGNE	*Hte: St Flour* *Basse: Clermont* *Combrailles:Evaux*
			BOURBONNAIS	BOURBONNAIS	BOURBONNAIS	*Ht: Moulins* *Bas: Bourbon l'Ar*
		MARCHE	MARCHE	MARCHE	MARCHE	*Hte: Guéret* *Basse: Le Dorat*
	+ SAVOIE † 1579					
	+ BRESSE † 1579		*rattachée au gouvernement de Bourgogne (1601 té de Paris)*			
	+ PIEMONT † 1579					
DAUPHINE	DAUPHINE	DAUPHINE	DAUPHINE	DAUPHINE	DAUPHINE	*Ht: Grenoble* *Bas: Valence*
PROVENCE	PROVENCE	PROVENCE	PROVENCE	PROVENCE	PROVENCE	*Hte: Digne* *Basse: Aix*

139

XV°s.-1542	1545-1579	1579	Guerres de Religions	Louis XIII Louis XIV	XVIII° s.	Principaux pays
	GUYENNE	GUYENNE	GUYENNE	GUYENNE	GUYENNE	*Guyenne* Périgord Quercy Rouergue Bordelais Agenais Bazadais *Gascogne* Labourd: Bayonne Landes: Dax Chalosse: Aire Condomois Armagnac: Auch Bigorre: Tarbes Comminges: St Bertrand Couserans: St Lizier
			BEARN	BEARN	BEARN	Basse Nav:St Jean Béarn: Pau Mixe: St Palais
			LIMOUSIN	LIMOUSIN	LIMOUSIN	*Ht: Limoges Bas: Tulle*
			SAINTONGE & ANGOUMOIS	SAINTONGE...	SAINTONGE...	*Hte: Saintes Basse: St Jean d'Angély* Angoumois
				AUNIS	AUNIS	La Rochelle

XV°-1542	1545-1579 1579	Guerres de Religions	Louis XIII Louis XIV	XVIII° s.	Principaux pays
LANGUEDOC	LANGUEDOC LANGUEDOC	LANGUEDOC	LANGUEDOC	LANGUEDOC	*Ht: Toulouse* / *Bas: Montpellier* / Gévaudan: Mende / Velay: Le Puy / Vivarais: Viviers
		FOIX	FOIX	FOIX	Foix / Donnezan:Quérigu / Val d'Andorre / Sault: Pamiers
			+Roussillon 1659 ROUSSILLON		Perpignan
				+ CORSE 1768	Bastia

141

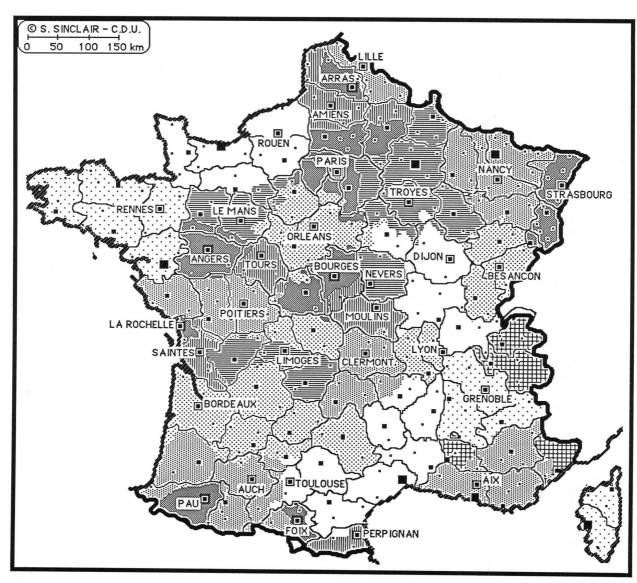

LES GOUVERNEMENTS EN 1789.

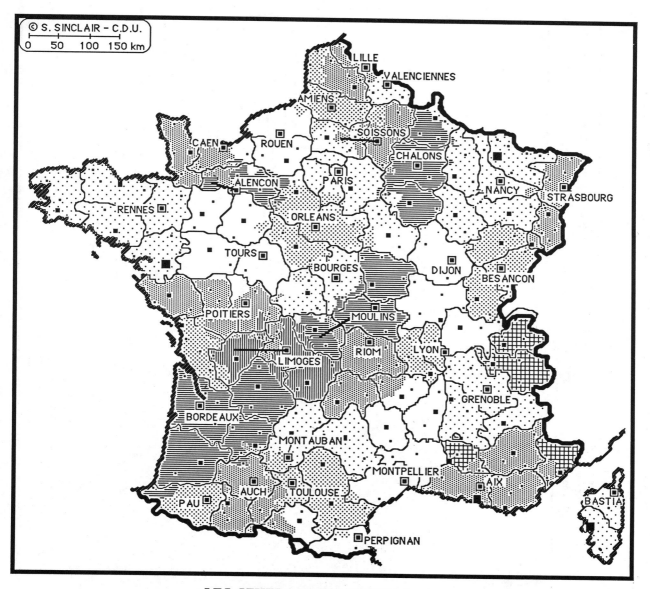

LES GENERALITES EN 1789.

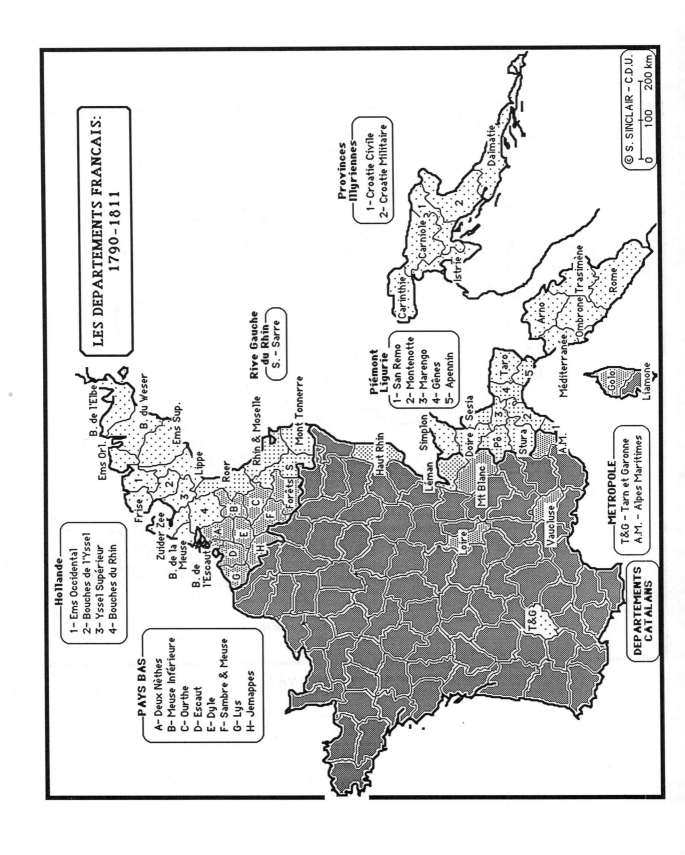

LES DEPARTEMENTS FRANCAIS: 1790–1811

Hollande
1- Ems Occidental
2- Bouches de l'Yssel
3- Yssel Supérieur
4- Bouches du Rhin

PAYS BAS
A- Deux Nèthes
B- Meuse Inférieure
C- Ourthe
D- Escaut
E- Dyle
F- Sambre & Meuse
G- Lys
H- Jemappes

Rive Gauche du Rhin
S.- Sarre

Provinces Illyriennes
1- Croatie Civile
2- Croatie Militaire

Piémont Ligurie
1- San Remo
2- Montenotte
3- Marengo
4- Gênes
5- Apennin

METROPOLE
T&G - Tarn et Garonne
A.M. - Alpes Maritimes

DEPARTEMENTS CATALANS

© S. SINCLAIR - C.D.U.

0   100   200 km

B. de l'Elbe
B. du Weser
Ems Or.
Ems Sup.
Frise
Zuider Zee
B. de la Meuse
B. de l'Escaut
Lippe
Roer
Rhin & Moselle
Mont Tonnerre
Forêts
S.
Haut Rhin
Léman
Simplon
Mt Blanc
Loire
Vaucluse
T&G
Sesia
Doire
Pô
Stura
A.M.
Taro
Golo
Liamone
Méditerranée
Arno
Ombrone
Trasimène
Rome
Carinthie
Carniole
Istrie
Dalmatie

LEGENDE:

Les départements créés en 1790.

 Lettres patentes du 4 mars 1790, après d'âpres discussions sur la consistance et les pouvoirs accordés aux départements.

Il y a 83 départements, dans les limites de la France de 1789 : ne comprend ni la Savoie, ni le comté de Nice, ni le Comtat Venaissin ; Mulhouse reste une ville libre impériale.

Les créations départementales de la Législative et de la Convention.

 23 septembre 1791 : le Comtat Venaissin se donne à la France et est incorporé au royaume d'où création du département du Vaucluse, avec l'enclave de Valréas.

27 novembre 1792 : après plebiscite, incorporation de la Savoie d'où création du département du Mont-Blanc.

mars 1793 : annexion de l'éphémère République de Rauracie c'est à dire le pays de Porrentruy ; création du département du Mont Terrible dont le territoire s'augmente en février 1798 du pays de Montbéliard ; la loi départementale de l'an VIII consacre sa disparition : il est intégré dans le département du Haut Rhin.

avril 1793 : après plebiscite, incorporation du Comté de Nice, de la Principauté de Monaco d'où création du département des Alpes Maritimes (accru de deux districts enlevés au département du Var : Grasse et Saint Paul.)

En outre, la volonté de réduire la puissance de départements ayant participé à l'insurrection fédéraliste explique les créations par démembrement des deux départements :

le Golo, par démembrement de la Corse (aout 1793), et dont le chef lieu est Bastia.

la Loire, par démembrement du Rhone et Loire (novembre 1793), et dont le chef lieu est Feurs, avant d'être Montbrison en 1795.

Enfin, les victoires de la Convention contre la première coalition amenèrent la création de département dans les Pays Bas (1° octobre 1795) :

LYS : Bruges, Courtrai, Furnes, Ypres.
ESCAUT : Gand, Audenarde, Eecloo, Termonde.
JEMMAPES : Mons, Charleroi, Tournai.
DEUX-NETHES : Anvers, Bréda, Malines, Turnhout.
DYLE : Bruxelles, Louvain, Nivelle.
MEUSE INFERIEURE : Maestricht, Hasselt, Ruremonde.
OURTHE : Liège, Huy, Malmédy.
SAMBRE ET MEUSE : Namur, Dinant, Marche, Saint-Hubert.
FORETS : Luxembourg, Bittbourg, Diekirch, Neufchâteau.

Les créations du Directoire.

 Création du département du LEMAN qui correspond à la République de Genève plus des districts enlevés à l'Ain et au Mont-Blanc :
LEMAN : Genève, Bonneville, Thonon.

Annexion de Mulhouse le 28 janvier 1798, et rattachement au Haut Rhin (nous avons représenté les différentes modifications qui affectent ce département comme si elles s'étaient toutes produites sous le Directoire.)

145

LEGENDE (suite de la page précédente).

Le traité de Campo Formio avait laissé la Rive Gauche du Rhin à la France, de
Bâle à la Nethe ; des départements furent créés par la loi de janvier 1798 :
SARRE : Trèves, Saint-Wendel, Stakyll.
RHIN ET MOSELLE : Coblence, Bonn, Simmern.
MONT TONNERRE : Mayence, Deux-Ponts, Kaiserslautern, Spire.
ROER : Aix-la Chapelle, Crefeld, Cologne.

Les créations du Consulat.

 La loi du 28 pluviôse An VIII réorganisa l'administration des départements
(création des préfets) tout en en modifiant les chefs lieux.

Le roi de Sardaigne céda le Piémont en 1798 ; il ne fut départementalisé
qu'en 1802 :
DOIRE : Ivrée, Aoste, Chivasso.
SESIA : Verceil, Biella, Santhia.
PO : Turin, Pignerol, Suse.
MARENGO : Alexandria, Bobbio, Casal, Tortone, Voghera.
STURA : Coni, Mondovi, Saluces, Savigliano.
TANARO : Asti, Acqui, Albe.
ce dernier département fut supprimé en 1805, et ses districts répartis entre
les départements limitrophes de Montenotte, Stura, Marengo et Gênes.
Annexion de la République Ligurienne d'où création des départements de :
MONTENOTTE : Savone, Acqui (démembré du Tanaro), Ceva, Porto Mauricio
GENES : Gênes, Tortone, Bobbio, Voghera (démembrés du Tanaro), Novi.
APPENNIN : Chiavari, Sarzano, Bardi, La Spezia en 1812.
en outre, San Remo fut rattaché au département des Alpes Maritimes dont il
constitua un arrondissement.

Les créations de l'Empire.

 En 1807, Marie-Louise de Bourbon céda le Royaume d'Etrurie ; il fut réuni
et départementalisé en mai 1808 :
ARNO : Florence, Arezzo, Pistoia, Modigliana.
MEDITERRANEE : Livourne, Volterra, Pise, île d'Elbe (réunie dès 1802)
OMBRONE : Sienne, Grosseto, Montepulciano.

En 1808 furent aussi réunis les deux duchés de Parme et de Plaisance :
TARO : Parme, Borgo san Donnino, Plaisance.

Au traité de Vienne, l'Autriche dut céder les Provinces Illyriennes (oct. 1809),
qui furent organisées sur le modèle départemental mais avec une administration
militaire :
CARINTHIE : Willach, Lienz.
CARNIOLE : Laybach, Adelsberg, Kraimbourg, Neustadt.
ISTRIE : Trieste, Capo d'Istria, Rovigno, Goritz.
CROATIE CIVILE : Carlstadt, Fiume, Lussin-Piccolo.
DALMATIE : Zara, Split, Lesina, Sebenico, Makarska.
+ une CROATIE MILITAIRE.

LEGENDE (suite des pages précédentes)

La conquête d'Ancône en 1805, puis les réticences de Pie VII à appliquer le blocus continental menèrent à la conquête des Etats Pontificaux (jan. 1808); d'où la création de deux départements en fevrier 1810:
ROME: Rome, Viterbe, Frosinone, Rieti, Tivoli, Velletri.
TRASIMENE: Spolète, Foligno, Todi, Pérouse.

La volonté de faire respecter à tout prix le blocus explique aussi la multiplication des annexions en 1810:
Annexion partielle puis totale du Royaume de Hollande:
EMS ORIENTAL: Aurich, Emden, Jever.
EMS OCCIDENTAL: Groningue, Appingedam, Assen, Vinschoten.
FRISE: Leuwarden, Sneek, Heerenveen.
BOUCHES DE L'YSSEL: Zwolle, Alméloo, Deventer.
YSSEL SUPERIEUR: Arnhem, Tiel, Zütphen.
ZUIDERZEE: Amsterdam, Amersfort, Hoorn, Utrecht.
BOUCHES DE LA MEUSE: La Haye, Dordrecht, Rotterdam, Flake.
BOUCHES DE L'ESCAUT: Middelbourg, Goès, Zierikzee.
BOUCHES DU RHIN: Bois-le-Duc, Nimègue, Eindhoven.

 Annexion des villes Hanséatiques, du Hanovre, du duché d'Oldenbourg (décembre 1810):
BOUCHES DE L'ELBE: Hambourg, Lübeck, Lunebourg, Stade.
BOUCHE DU WESER: Brême, Bremerlehe, Nienbourg, Oldenbourg.
EMS SUPERIEUR: Osnabrück, Lingen, Minden, Quackenbrück.

création, par démembrement des départements de l'Yssel Supérieur, de l'Ems Occidental, des Bouches de l'Yssel, du département de la Lippe (avril 1811):
LIPPE: Munster, Rees, Neuenhaus, Steinfurt.

Annexion du Valais et création du département du Simplon (12 novembre 1812):
SIMPLON: Sion, Brigue, Saint Maurice.

Citons enfin pour mémoire l'éphémère division de la Catalogne en départements (janvier 1812): MONTSERRAT, BOUCHES DE L'EBRE, TER, SEGRE. Cette organisation fut ruinée par la reconquête des alliés.

Enfin, répondant à des considérations plus locales, création du département du Tarn et Garonne, par démembrement de la Haute Garonne, du Lot, du Gers, du Lot et Garonne, de l'Aveyron:
TARN ET GARONNE: Montauban, Castelsarrasin, Moissac.

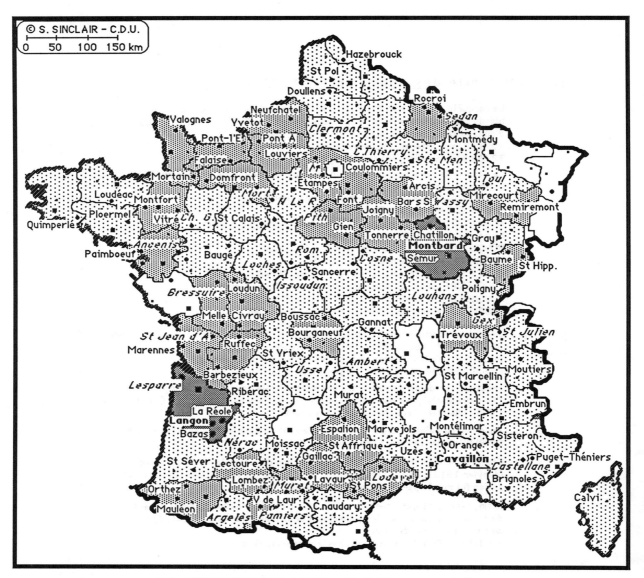

LA REFORME DEPARTEMENTALE DE 1926
et ses suites immédiates (1933 ; 1940/1944)

LEGENDE

⬚ 1 suppression	• Uzès — sous-préfecture supprimée en 1926
▦ 2 suppressions	• **Montbard** sous-préfecture créée en 1926
▩ 3 suppressions	• *Mantes* sous-préfecture supprimée en 1926 mais restaurée lors des réformes de 1933 & 1940/1944

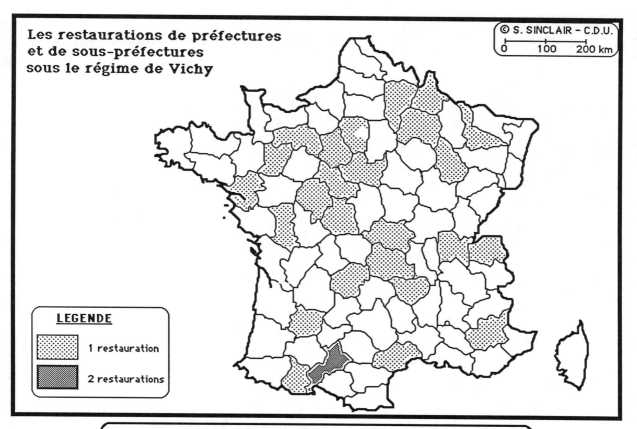

Les restaurations de préfectures
et de sous-préfectures
sous le régime de Vichy

© S. SINCLAIR - C.D.U.
0   100   200 km

LEGENDE

1 restauration

2 restaurations

LES MODIFICATIONS DE LA CARTE ADMINISTRATIVE DE 1926 A 1944

1- La réforme départementale de 1926 et ses suites immédiates.

Le décret-loi du 26 septembre 1926, procéda à une refonte de la carte administrative en supprimant 106 sous-préfectures pour des raisons d'économie; cette
loi créait en outre deux nouvelles sous préfectures: Montbard dans la Côte d'Or
et Langon dans la Gironde. Par soucis de ne pas trop brusquer les populations
des départements récupérés au traité de Versailles, on ne procéda à aucune
modification dans la Moselle, le Bas Rhin et le Haut Rhin.
Le décret du 29 décembre 1933 recréa les sous-préfectures de Gex dans l'Ain
et de Saint-Julien-en-Genevois dans la Haute Savoie.

2- les restaurations de préfectures et de sous-préfectures sous le régime de Vichy.

Ce régime d'essence autoritaire et centralisatrice renforça sa représentation
locale (v. carte b à la page 148) et multiplia le nombre des sous-préfets: cela
se fit par étapes et seule la Libération interrompit le mouvement:
- décret de novembre 1940 qui légalise la restauration par les autorités
  allemandes de l'arrondissement de Wassy avec Saint-Dizier comme
  chef-lieu.
- décret de septembre 1940: restauration de Sainte-Ménehould.
- loi de juin 1942: Ambert, Argelès, Bressuire, Castellane, Chateau-Gontier,
  Chateau-Thierry, Clermont, Issoudun, Lesparre, Lodève, Louhans, Mortagne,
  Muret, Nérac, Pamiers, Pithiviers, Sedan, Yssingeaux.
- loi de novembre 1943: Ancenis, Cosne, Loches, Mantes, Nogent-le-Rotrou,
  Romorantin, Saint-Jean-d'Angély, Toul, Ussel.

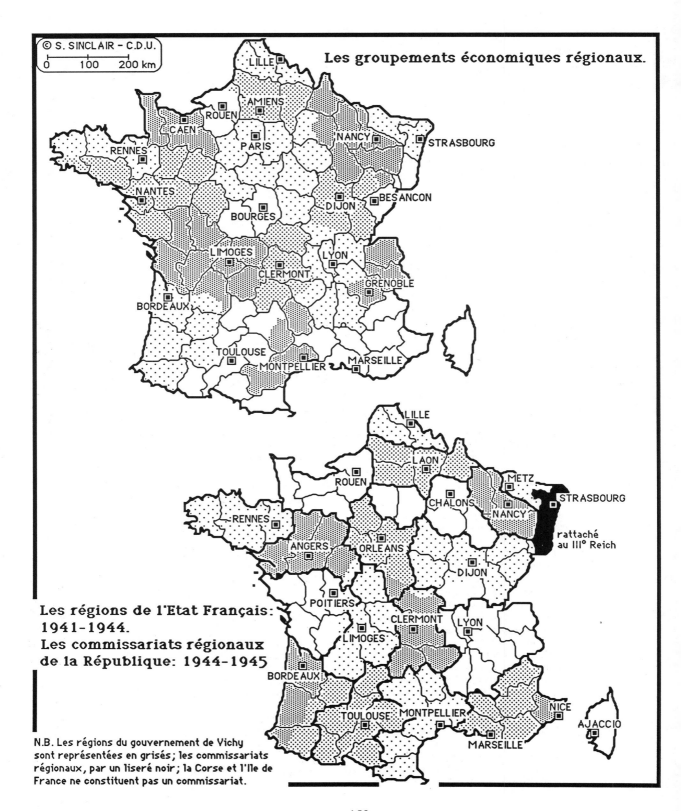

© S. SINCLAIR – C.D.U.

0   100   200 km

Les groupements économiques régionaux.

LILLE
AMIENS
ROUEN
CAEN
RENNES
PARIS
NANCY
STRASBOURG
NANTES
DIJON
BESANCON
BOURGES
LIMOGES
CLERMONT
LYON
GRENOBLE
BORDEAUX
TOULOUSE
MONTPELLIER
MARSEILLE

LILLE
LAON
ROUEN
METZ
CHALONS
STRASBOURG
NANCY
rattaché
au III° Reich
RENNES
ANGERS
ORLEANS
DIJON
POITIERS
CLERMONT
LYON
LIMOGES
BORDEAUX
TOULOUSE
MONTPELLIER
NICE
AJACCIO
MARSEILLE

Les régions de l'Etat Français:
1941–1944.
Les commissariats régionaux
de la République: 1944–1945

N.B. Les régions du gouvernement de Vichy
sont représentées en grisés; les commissariats
régionaux, par un liseré noir; la Corse et l'Ile de
France ne constituent pas un commissariat.

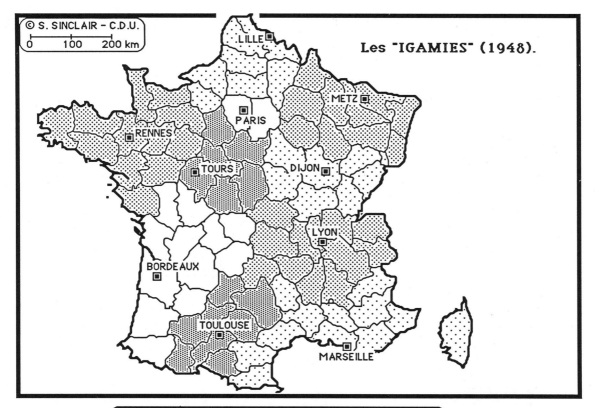

Les "IGAMIES" (1948).

© S. SINCLAIR - C.D.U.

0 100 200 km

LILLE
METZ
PARIS
RENNES
TOURS
DIJON
LYON
BORDEAUX
TOULOUSE
MARSEILLE

LES INSTITUTIONS REGIONALES AU XX° s.

1—Les groupements économiques régionaux

Le ministre du Commerce, Clémentel, proposa en 1917 la création de regroupements régionaux des Chambres de commerce; l'arrêté du 25 avril 1919 les délimita et fixa leurs attributions (fondations d'organismes et d'institutions destinées à développer le commerce ou l'industrie); elles se virent adjoindre un "Comité consultatif d'action économique" en 1919. Les régions n'obtinrent la personnalité morale qu'en 1938, malgré des propositions dans ce sens depuis 1922.

2— Les régions de l'Etat Français et les commissariats régionaux de la République

L'autoritarisme du gouvernement de Vichy explique le désir de créer, au dessus des préfets, un corps de fonctionnaires possédant des prérogatives particulières en matière de police et d'action économique: on accorda à certains préfets la prééminence sur les préfets d'une "région"; ils furent assistés d'un "intendant de police" et d'un "intendant des affaires économiques"; on commença par créer des régions en zone libre (d'où l'amputation de certains départements, traversés par la ligne de démarcation; avril puis septembre et novembre 1941), puis en zone occupée (juin, aout 1941); enfin on créa la préfecture régionale de Lille (septembre 1942). Il n'y avait pas de région de Paris; les départements de Corse et des Alpes Maritimes formaient des régions à part entière.

Le désir de coordonner la reconstruction du pays explique le maintien de l'organisation régionale par le Comité de Libération: l'ordonnance d'Alger (10-1-44) créait les "commissariats régionaux de la République", dont les limites étaient assez semblables à celles des préfectures régionales mais ne portaient pas atteinte au cadre départemental. Ils furent supprimés dès mars 1946.

3— Les IGAMIES

L'hostilité à l'égard du régionalisme ne put empêcher la création des IGAMES, préfets destinés à rétablir l'ordre menacé par les grèves de 1947.

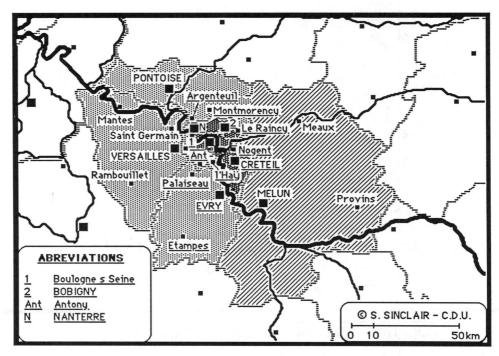

LA REFORME DEPARTEMENTALE DE 1962:
LA REGION PARISIENNE

LEGENDE

 départements constituant le département de la Seine avant 1962 :
PARIS, SEINE ST DENIS, HAUTS DE SEINE, VAL DE MARNE.

 départements constituant le département de la Seine et Oise avant 1962 :
YVELINES, ESSONE, VAL D'OISE.

 incorporation dans la Région Parisienne de la SEINE ET MARNE.

PONTOISE   préfecture existant avant la réforme.
Meaux   sous préfecture existant avant la réforme.

NANTERRE   préfecture créée par la réforme.
Palaiseau   sous préfecture créée par la réforme.

152

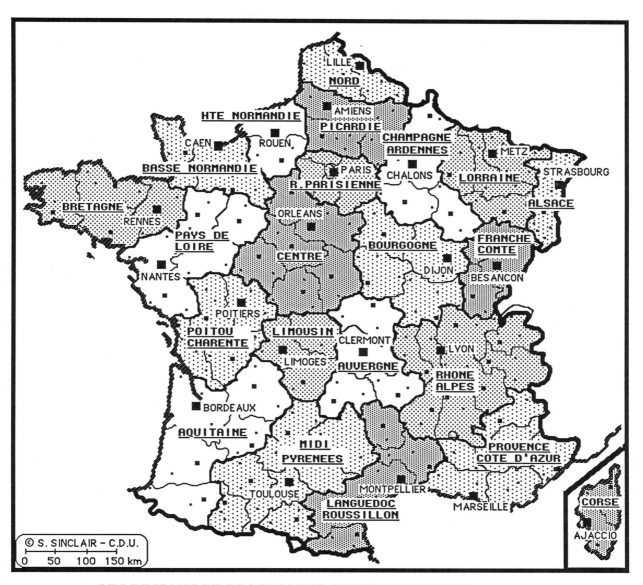

LILLE
NORD

HTE NORMANDIE   AMIENS
                          PICARDIE
CAEN   ROUEN   **CHAMPAGNE**
                                          ARDENNES   METZ
BASSE NORMANDIE   PARIS   STRASBOURG
                          R. PARISIENNE CHALONS   **LORRAINE**
BRETAGNE   **ALSACE**
      RENNES   ORLEANS
PAYS DE   **BOURGOGNE**   **FRANCHE**
LOIRE   **CENTRE**   **COMTE**
                                              DIJON   BESANCON
NANTES

POITIERS
POITOU   **LIMOUSIN**   CLERMONT   LYON
CHARENTE
              LIMOGES   **AUVERGNE**
                                              RHONE
BORDEAUX   **ALPES**

AQUITAINE
                  MIDI   **PROVENCE**
                  PYRENEES   **COTE D'AZUR**
                              MONTPELLIER
         TOULOUSE   MARSEILLE
                  LANGUEDOC
                  ROUSSILLON

© S. SINCLAIR - C.D.U.
0   50   100 150 km

CORSE

AJACCIO

LES REGIONS DE PROGRAMME CONTEMPORAINES

Chapitre II

Circonscriptions judiciaires

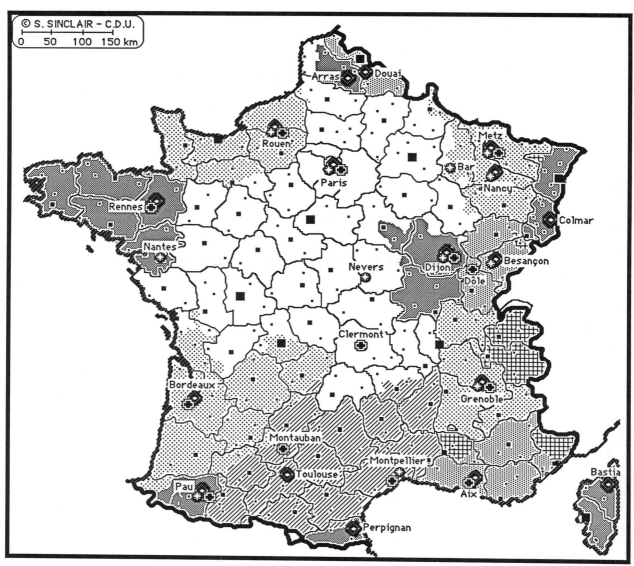

Arras Douai

Metz

Rouen

Bar

Paris

Nancy

Colmar

Rennes

Dijon Besançon

Nantes

Dôle

Nevers

Clermont

Grenoble

Bordeaux

Montauban

Montpellier

Bastia

Toulouse

Pau

Aix

Perpignan

LES PARLEMENTS ET CONSEILS SOUVERAINS EN 1789.
sièges de cours des comptes;
sièges des cours des aides.

LEGENDE

Nous avons représenté les ressorts des différents parlements par des grisés.
le ressort du Parlement de Paris est laissé en blanc.

 territoire étranger (hors des frontières ou enclave)

◆ Siège de parlement ou de conseil souverain

✪ Siège de chambre des comptes

▣ Siège de cour des aides

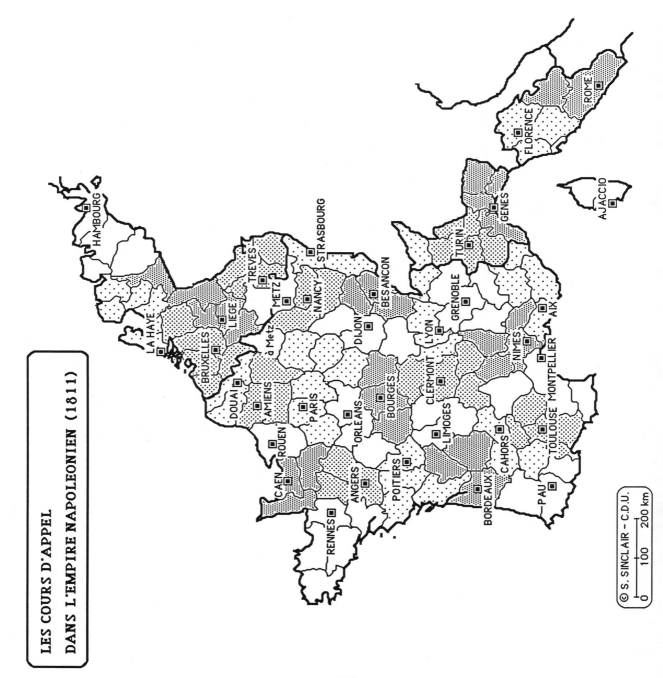

LES COURS D'APPEL
DANS L'EMPIRE NAPOLEONIEN (1811)

HAMBOURG

LA HAYE
BRUXELLES
TREVES
LIEGE
DOUAI
AMIENS
ROUEN
CAEN
RENNES
ANGERS
PARIS
ORLEANS
POITIERS
à Metz
METZ
NANCY
STRASBOURG
DIJON
BESANCON
BOURGES
CLERMONT
LIMOGES
LYON
GRENOBLE
TURIN
GENES
NIMES
AIX
MONTPELLIER
TOULOUSE
CAHORS
BORDEAUX
PAU
FLORENCE
ROME
AJACCIO

© S. SINCLAIR – C.D.U.
0   100   200 km

158

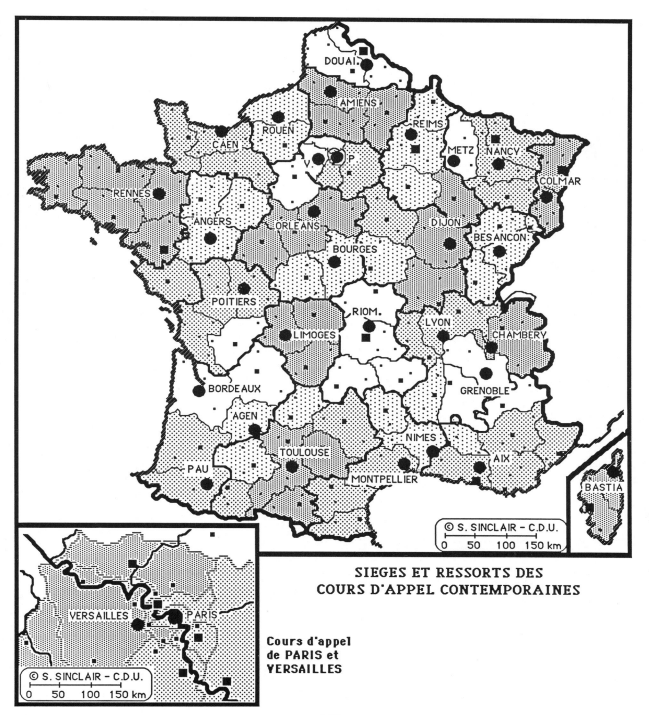

SIEGES ET RESSORTS DES
COURS D'APPEL CONTEMPORAINES

Cours d'appel
de PARIS et
VERSAILLES

159

Chapitre III

Circonscriptions financières

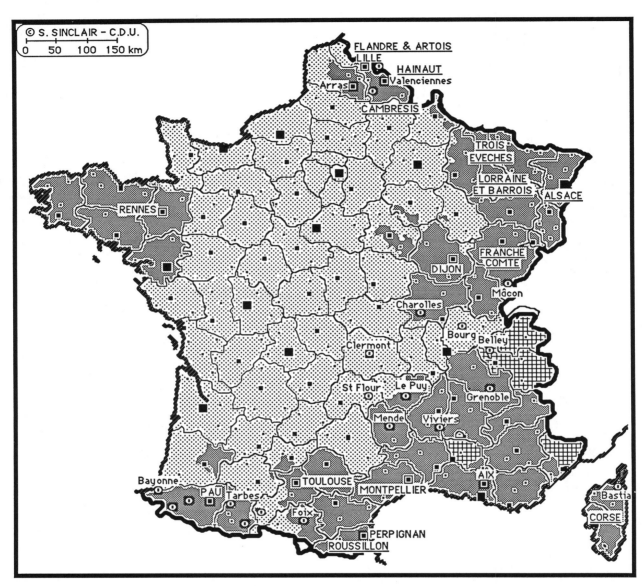

PAYS D'ETATS ET PAYS D'ELECTIONS EN 1789.

Map labels:

FLANDRE & ARTOIS
LILLE
HAINAUT
Arras Valenciennes
CAMBRESIS
TROIS EVECHES
LORRAINE ET BARROIS
ALSACE
RENNES
FRANCHE COMTE
DIJON
Mâcon
Charolles
Bourg Belley
Clermont
St Flour Le Puy Grenoble
Mende Viviers
Bayonne AIX
PAU TOULOUSE
Tarbes MONTPELLIER Bastia
Foix CORSE
PERPIGNAN
ROUSSILLON

© S. SINCLAIR - C.D.U.
0 50 100 150 km

162

LEGENDE

Pays d'élection : régions dans lesquelles l'impôt est fixé et réparti
par des officiers, les élus (qui tirent leur nom de leur origine médiévale :
personnel choisi par les assemblées du règne de Jean II le Bon, comme
les Etats de Normandie de 1348, pour assumer la répartition, la levée,
les comptes des impôts ; leur élection par les assemblées régionales ne dura
pas et ces "élus" devinrent des officiers royaux dès le règne de Charles V)

Pays d'Etats, c'est à dire régions ayant conservé le droit de voter puis de
répartir l'impôt royal ; nous avons distingué :

DIJON
- les Pays d'Etats au sens strict : Bourgogne, Bretagne, Languedoc (Toulouse
   et Montpellier), Provence.

HAINAUT
- les pays d'imposition, régions annexées sous Louis XIV ou par la suite et
   jouissant de droits de décision moindres que les Pays d'Etats : Trois Evêchés,
   Lorraine et Barrois, Franche-Comté, Flandre et Artois, Hainaut, Alsace,
   Roussillon, Corse.

▣   Siège d'une assemblée d'Etats permanents

⊙   Siège d'une assemblée d'Etats secondaires ou locaux (tous ne sont pas nommés)

☐   Terre étrangère (hors des frontières ou enclave)

163

Chapitre IV

Circonscriptions militaires

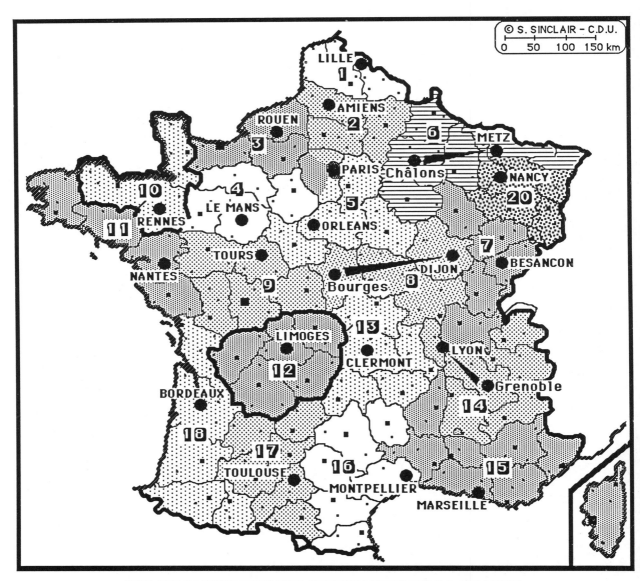

LES CIRCONSCRIPTIONS MILITAIRES DE LA FRANCE
1873-1939

LEGENDE:

Les régions militaires issues de la loi de 1873

1° Corps d'armée	LILLE	10° Corps d'armée	RENNES
2° Corps d'armée	AMIENS	11° Corps d'armée	NANTES
3° Corps d'armée	ROUEN	12° Corps d'armée	LIMOGES
4° Corps d'armée	LE MANS	13° Corps d'armée	CLERMONT-FERRAND
5° Corps d'armée	ORLEANS	14° Corps d'armée	GRENOBLE
6° Corps d'armée	CHALONS	15° Corps d'armée	MARSEILLE
7° Corps d'armée	BESANCON	16° Corps d'armée	MONTPELLIER
8° Corps d'armée	BOURGES	17° Corps d'armée	TOULOUSE
9° Corps d'armée	TOURS	18° Corps d'armée	BORDEAUX
		19° Corps d'armée	ALGER (non représenté)

Les modifications d'avant 1914

1898 : création du 20° corps d'armée NANCY
1913 : création du 21° corps d'armée EPINAL

Les réformes de l'après-guerre (1921 ; 1923 ; 1928 ; 1934)

1- La réforme de 1921
- refonte des ressorts des 6°, 20° et 21° corps d'armée
- Le siège du 8° corps passe de Bourges à DIJON
- Le siège du 14° corps passe de Grenoble à LYON
- Le siège du 21° corps passe d'Epinal à STRASBOURG

2- La réforme de 1923
- disparition du 21° corps englobé dans le 20° corps

3- La réforme de 1928
- les corps d'armée prennent le nom de "Régions militaires"
- création de la 21° région militaire PARIS

4- La réforme de 1934
- suppression, pour des raisons d'économie des 10° et 12° régions militaires
(RENNES et LIMOGES)

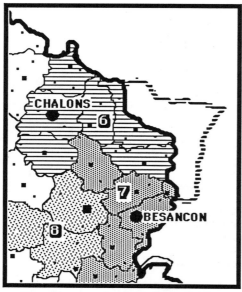

la réorganisation de 1873

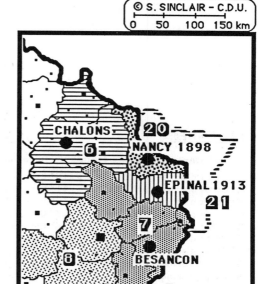

les modifications d'avant 1914

modifications de l'immédiate
après guerre (1921-1928)

LES CIRCONSCRIPTIONS MILITAIRES
DANS L'EST DE LA FRANCE 1873-1938

LEGENDE et COMMENTAIRE

les régions militaires issues de la loi de 1873

6° corps d'armée CHALONS

7° corps d'armée BESANCON

8° corps d'armée BOURGES

les modifications d'avant 1914

création du 20° corps d'armée NANCY (1898)

création du 21° corps d'armée EPINAL (1913)

les modifications de l'immédiate après-guerre

1 _ Réforme de 1921
- Châlons passe à METZ.
- Bourges passe à DIJON.
- Epinal passe à STRASBOURG.
- modifications des ressorts des 6°, 20°, et 21° corps.

2 _ Réforme de 1923
- Le 21° corps (STRASBOURG) est englobé dans le 20° corps

168

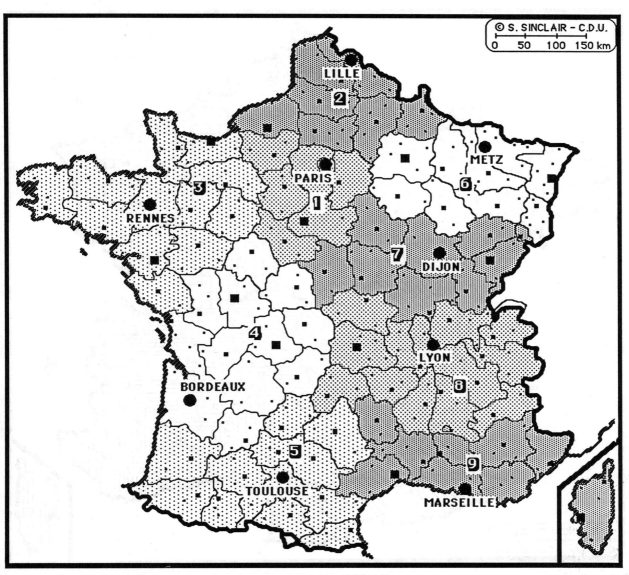

LES CIRCONSCRIPTIONS MILITAIRES DE LA FRANCE
1945-1966

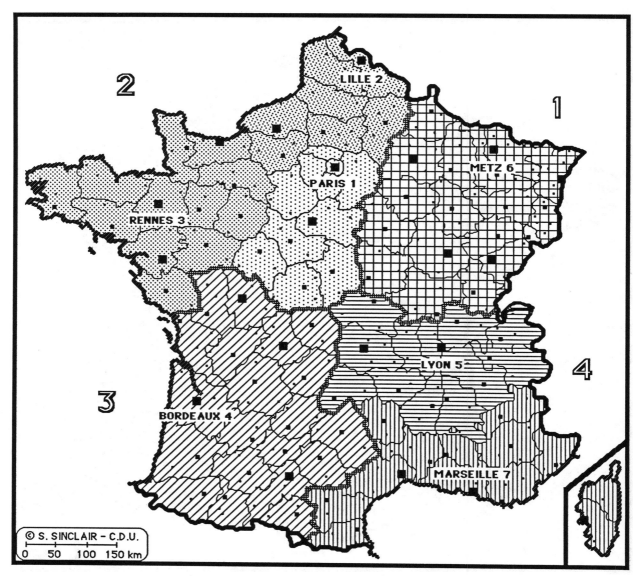

**ZONES ET REGIONS
DE DEFENSE CONTEMPORAINES**

LEGENDE:

PREMIERE ZONE

Région n° 6 ; METZ

DEUXIEME ZONE

Région n° 1 ; PARIS

Région n° 2 ; LILLE

Région n° 3 ; RENNES

TROISIEME ZONE

Région n° 4 ; BORDEAUX

QUATRIEME ZONE

Région n° 5 ; LYON

Région n° 7 ; MARSEILLE

Chapitre V

Circonscriptions universitaires

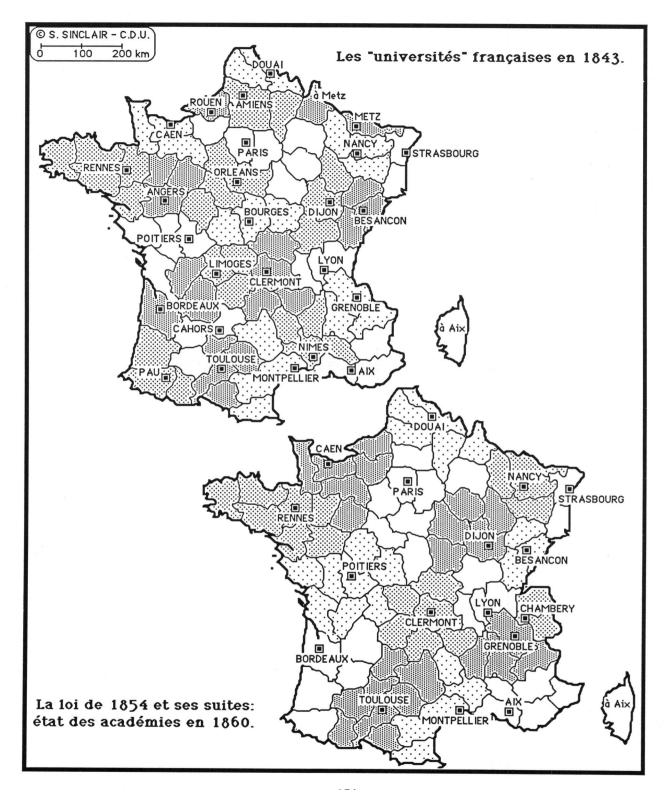

Les "universités" françaises en 1843.

La loi de 1854 et ses suites:
état des académies en 1860.

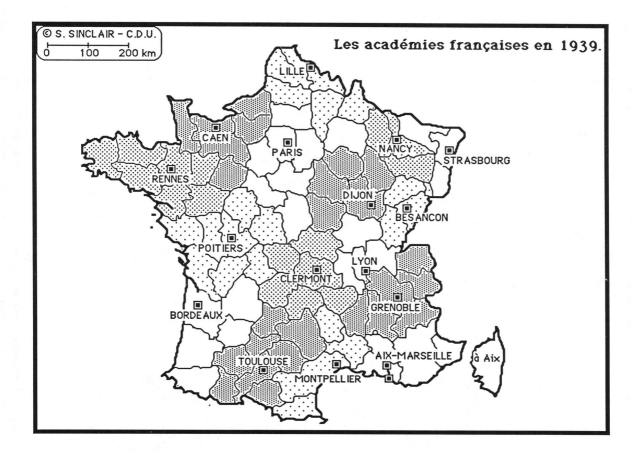

Les académies françaises en 1939.

© S. SINCLAIR - C.D.U.
0   100   200 km

LILLE

CAEN
PARIS
NANCY
STRASBOURG

RENNES
DIJON
BESANCON

POITIERS
LYON

CLERMONT
GRENOBLE

BORDEAUX

TOULOUSE
AIX-MARSEILLE
à Aix
MONTPELLIER

L'UNIVERSITE FRANCAISE AUX XIX° ET XX° s.

LEGENDE DES TROIS CARTES.

▣ AIX   siège d'académie.

1- les académies françaises en 1843.

La loi de mars 1808 créait l'organisation de l'Université impériale : il y aurait
une académie par ressort de cours d'appel (v. carte correspondante) ; la Restauration rénova ce cadre administratif (lois de 1821, 1822, 1824) et réduisit le
nombre des "Universités" (nouveau nom des Académies) à 26.

2- La réforme de 1854 et ses suites : état en 1860.

La Révolution de 1848 réduisit le nombre des académies à 20 ; plusieurs projets
se succédèrent jusqu'à la loi de juin 1854 : création de 16 académies, plus l'académie de Chambéry après la réunion de la Savoie en 1860.

3- Les académies françaises en 1939.

L'annexion de l'Alsace-Lorraine par la Prusse en 1871 puis sa réunion en 1919
créerent une entorse à l'organisation issue de la loi de 1854 et toujours en
vigueur sous la Troisième République : Strasbourg conserva son statut propre et
la refonte des départements alsaciens-lorrains modifia le cadre académique ; en
outre, l'académie de Chambéry fut englobée dans celle de Grenoble en 1920.

175

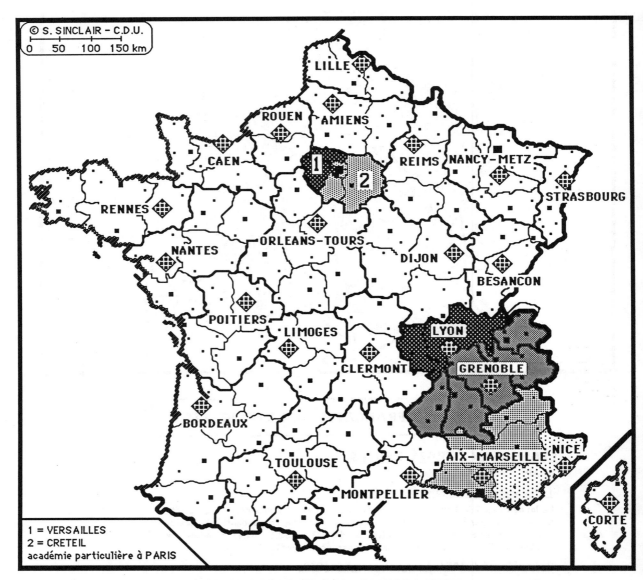

LES ACADEMIES CONTEMPORAINES

NB: les académies non grisées ont pour cadre la Région correspondante.

Troisième partie

GEOGRAPHIE RELIGIEUSE (IV-XX^{e}s.)

Chapitre Ier

Les évêchés d'Ancien Régime

Les Evêchés Français de la NOTITIA GALLIARUM à 1789

LEGENDE

dans une même colonne

AIX	= Archevêché
Maillezais	= évêché
* Toulon	= évêché se trouvant dans la Notitia Galliarum, document d'origine ecclésiastique, mais ne se trouvant pas dans la Notitia Dignitatum, document d'origine administrative du V° siècle.
St Omer	= évêché appartenant à une province qui, pour des raisons de clarté, n'a pu être représentée de manière homogène dans la colonne; dans l'exemple donné, St Omer est suffragant de CAMBRAI, qui se trouve plus bas dans la colonne.
c 1483	= environ en 1483
† 1553	= suppression en 1553

Les commentaires sont en italiques

entre deux colonnes :

Paris .... PARIS 1622	= Paris, d'évêché qu'il était jusque là, est devenu archevêché en 1622.
Clermont ...... Clermont *et* + St Flour 1322	= St Flour a été détaché de Clermont en 1322.
Maillezais ..... La Rochelle 1648	= La Rochelle a remplacé Maillezais en 1648.
Cimiez .... Nice	= Cimiez a été remplacé par Nice entre les deux périodes.
Cambrai .... Arras/Cambrai *et* Arras .... /Cambrai 554	= Fusion des deux évêchés d'Arras et de Cambrai en 554.

dans la colonne de l'époque carolingienne :

[Toul]	= évêché dont l'attribution est irrégulière ou mal attestée

dans la dernière colonne (XVII°-XVIII° siècles; état en 1789)

(Nice)	= Nice n'appartient pas au royaume en 1789.

1- Les évêchés du Nord (ancien Diocèse des Gaules)

NOTITIA	V°-VI°	VI° au VIII°	IX° au XV°	XVI°	XVII-XVIII°
GERMANIE 1		**Réunion à Belgique 1**			
MAYENCE					
Spire					
Worms					
Strasbourg	Strasbourg	[Strasbourg]	Strasbourg	Strasbourg	Strasbourg
GERMANIE 2		**Réunion à Belgique 1**			
COLOGNE					
Tongres					
BELGIQUE 1		**Réunion de Germanie 1 Germanie 2**			
TREVES	TREVES	TREVES	TREVES	TREVES	TREVES
Metz	Metz	Metz	Metz	Metz	Metz
Toul	Toul	[Toul]	Toul	Toul	Toul + Nancy 1777 + St Dié 1777
Verdun	Verdun	Verdun	Verdun	Verdun	Verdun

181

NOTITIA	V°-VI°	VI° au VIII°	IX° au XV°	XVI°	XVII-XVIII°
BELGIQUE 2					
REIMS	REIMS	REIMS	REIMS	REIMS	REIMS
		+ Laon c 487	Laon	Laon	Laon
Amiens	Amiens	Amiens	Amiens	Amiens	Amiens
Châlons	Châlons	Châlons	Châlons	Châlons	Châlons
Beauvais	Beauvais	[Beauvais]	Beauvais	Beauvais	Beauvais
Senlis	Senlis	Senlis	Senlis	Senlis	Senlis
Soissons	Soissons	Soissons	Soissons	Soissons	Soissons
Saint Quentin	Noyon (mi VI°)	/[Tournai] 532	Noyon 1146	Noyon	Noyon
Thérouanne	Thérouanne	Thérouanne	Thérouanne	† 1553	
Boulogne	Therouanne	Therouanne	Therouanne	Boulogne 67	Boulogne
				+Ypres 59	(Ypres)
				+St Omer59	St Omer
Cambrai	Cambrai	[Arras]/Cambrai	Cambrai	CAMBRAI	CAMBRAI
				+ Anvers 59	(Anvers)
				+ Malines59	(Malines)
Arras	Arras	/Cambrai 554	Arras 1094	Arras	Arras
Tournai	Tournai	[Tournai]/Noyon	Tournai 1148	Tournai	(Tournai)
				+Bruges 59	(Bruges)
				+Gand 59	(Gand)
					(Namur)

NOTITIA	V°-VI°	VI° au VIII°	IX° au XV°	XVI°	XVII-XVIII°
MAXIMA SEQUANORUM		**Réunion à LYONNAISE 1**			
BESANCON	BESANCON	Besançon	BESANCON	BESANCON	BESANCON
Ehl/Helvetiorum	† + Lausanne	Lausanne	Lausanne	Lausanne	Lausanne
Bâle/Basiliensium	Bâle	Bâle	Bâle	Bâle	Bâle
Nyon/Equestrium	Nyon	†			
	+ Genève	Genève	Genève	(Annecy)	(Annecy)
		+ Belley 537	Belley	Belley	*appartient à Lyonnaise 1*

NOTITIA	V°-VI°	VI° au VIII°	IX° au XV°	XVI°	XVII-XVIII°
LYONNAISE 1		**Reunion Maxima**			
		Sequanorum			
LYON	LYON	LYON	LYON	LYON	LYON
					+St Claude 1742
Autun	Autun	Autun	Autun	Autun	Autun
			+Clamecy	Clamecy	Clamecy
			évêché in partibus de Béthléem fin XIV°		
Langres	Langres	Langres	Langres	Langres	Langres
					+Dijon 1731
Chalon	Chalon	Chalon	Chalon	Chalon	Chalon
Mâcon	Mâcon	Mâcon	Mâcon	Mâcon	Mâcon
					+1601 Belley *(té de Paris)*
LYONNAISE 2					
ROUEN	ROUEN	ROUEN	ROUEN	ROUEN	ROUEN
Evreux	Evreux	Evreux	Evreux	Evreux	Evreux
Lisieux	Lisieux	Lisieux	Lisieux	Lisieux	Lisieux
Bayeux	Bayeux	Bayeux	Bayeux	Bayeux	Bayeux
Avranches	Avranches	Avranches	Avranches	Avranches	Avranches
Coutances	Coutances	Coutances	Coutances	Coutances	Coutances
Séez	Séez	Séez	Séez	Séez	Séez
LYONNAISE 3					
TOURS	TOURS	TOURS	TOURS	TOURS	TOURS
Angers	Angers	Angers	Angers	Angers	Angers
Le Mans	Le Mans	Le Mans	Le Mans	Le Mans	Le Mans
Nantes	Nantes	Nantes	†	Nantes	Nantes
Osismiorum	† + Léon	Léon	Léon	Léon	Léon
			+ Tréguier	Tréguier	Tréguier
			+ DOL 848	Dol 1199	Dol
			+ St Brieuc	St Brieuc	St Brieuc
Vannes	Vannes	Vannes	Vannes	Vannes	Vannes
Coriosolitum	†	+ Alet	Alet/St Malo XII°	Alet	Alet
		+ Quimper	Quimper	Quimper	Quimper
Rennes	Rennes	Rennes	†	Rennes	Rennes

NOTITIA	V°-VI°	VI° au VIII°	IX° au XV°	XVI°	XVII-XVIII°
LYONNAISE 4					
SENS	SENS	SENS	SENS	SENS	SENS
Troyes	Troyes	Troyes	Troyes	Troyes	Troyes
Auxerre	Auxerre	Auxerre	Auxerre	Auxerre	Auxerre
	+ Nevers	Nevers	Nevers	Nevers	Nevers
					....
Paris	Paris	Paris	Paris	Paris	PARIS 1622
Chartres	Chartres	Chartres	Chartres	Chartres	Chartres
					+ Blois 1697
Meaux	Meaux	Meaux	Meaux	Meaux	Meaux
Orléans	Orléans	Orléans	Orléans	Orléans	Orléans

2-Les Evêchés du Midi (ancien Diocèse de Viennoise)

NOTITIA	V°-VI°	VI° au VIII°	JEAN XXII	XIII°-XV°	XVII°-XVIII
AQUITAINE 1					
BOURGES	BOURGES	BOURGES	BOURGES	BOURGES	BOURGES
Clermont	Clermont	Clermont	Clermont	Clermont	Clermont
			+ St Flour 1317	St Flour	St Flour
Limoges	Limoges	Limoges	Limoges	Limoges	Limoges
			+ Tulle 1317	Tulle	Tulle
St Paulien	Le Puy	Le Puy	Le Puy	Le Puy	Le Puy
					....
Albi	Albi	Albi	Albi	Albi	ALBI 1678
			+ Castres 1317	Castres	Castres
Cahors	Cahors	Cahors	Cahors	Cahors	Cahors
Javols	Javols	Mende	Mende	Mende	Mende
Rodez	Rodez	Rodez	Rodez	Rodez	Rodez
			+ Vabres 1317	Vabres	Vabres
AQUITAINE 2					
BORDEAUX	BORDEAUX	BORDEAUX	BORDEAUX	BORDEAUX	BORDEAUX
Agen	Agen	Agen	Agen	Agen	Agen
			+ Condom	Condom	Condom
Saintes	Saintes	Saintes	Saintes	Saintes	Saintes
Périgueux	Périgueux	Périgueux	Périgueux	Périgueux	Périgueux
			+ Sarlat	Sarlat	Sarlat
Poitiers	Poitiers	Poitiers	Poitiers	Poitiers	Poitiers
			+ Luçon	Luçon	Luçon
			+ Maillezais	Maillezais	LaRochelle 1648
Angoulême	Angoulême	Angoulême	Angoulême	Angoulême	Angoulême

NOTITIA	V°-VI°	VI° au VIII°	JEAN XXII	XIII°-XV°	XVII°-XVIII
NOVEMPOPULANIE					
EAUZE	EAUZE	†663 Auch			
Auch	Auch	AUCH c 845	AUCH	AUCH	AUCH
Argenteyres	† avant 506				
Bazas	Bazas	Bazas	Bazas	Bazas	Bazas
Lescar	Lescar	Lescar	Lescar	Lescar	Lescar
Aire	Aire	Aire	Aire	Aire	Aire
Dax	Dax	Dax	Dax	Dax	Dax
		+ Bayonne c778	Bayonne	Bayonne	Bayonne
Oloron	Oloron	Oloron	Oloron	Oloron	Oloron
St Bertrand	St Bertrand	[St Bertrand]	St Bertrand	St Bertrand	St Bertrand
St Lizier	St Lizier	[St Lizier]	St Lizier	St Lizier	St Lizier
Tarbes	Tarbes	Tarbes	Tarbes Tarbes	Tarbes	
Lectoure	Lectoure	Lectoure	Lectoure	Lectoure	Lectoure
		+ Pampelune	rattaché à Sarragosse en 1091		
		+ Osca	rattaché à Sarragosse en 1091		

NARBONNAISE 1

NOTITIA	V°-VI°	VI° au VIII°	JEAN XXII	XIII°-XV°	XVII°-XVIII
NARBONNE	NARBONNE	NARBONNE	NARBONNE	NARBONNE	NARBONNE
	+ Elne 571	Elne	Elne	Elne	Perpignan 1602/59
	+ Maguelonne 589 †737 Substantion		Maguelonne 1030	Maguelonne	Montpellier 1536
	+ Carcassonne 589	Carcassonne	Carcassonne	Carcassonne	Carcassonne
		+ Vich 714	Vich	rattaché en 1091 à Tarragone	
		+ Barcelone	Barcelone	rattaché en 1091 à Tarragone	
		+ Urgel	Urgel	rattaché en 1091 à Tarragone	
		+ Gérone	Gérone	rattaché en 1091 à Tarragone	
			+ Alet 1318	Alet	Alet
			+ St Pons 1318	St Pons	St Pons
Uzès	Uzès	Uzès	Uzès	Uzès	Uzès
Béziers	Béziers	Béziers	Béziers	Béziers	Béziers
	+ Agde	Agde	Agde	Agde	Agde
Nîmes	Nîmes	Nîmes	Nîmes	Nîmes	Nîmes
	+Arisitum 533	†			
					+ Alès 1694
Lodève	Lodève	Lodève	Lodève	Lodève	Lodève

NOTITIA	V°-VI°	VI° au VIII°	JEAN XXII	XIII°-XV°	XVII°-XVIII
Toulouse	Toulouse	Toulouse	TOULOUSE 1317	TOULOUSE	TOULOUSE
			+ Pamiers 1295	Pamiers	Pamiers
			+ Mirepoix 1317	Mirepoix	Mirepoix
			+ Rieux 1317	Rieux	Rieux
			+ Lavaur 1317	Lavaur	Lavaur
			+ Lombez 1317	Lombez	Lombez
			+ Montauban 1317	Montauban	Montauban
			+ St Papoul 1317	St Papoul	St Papoul

NARBONNAISE 2

NOTITIA	V°-VI°	VI° au VIII°	JEAN XXII	XIII°-XV°	XVII°-XVIII
AIX	Aix	AIX	AIX 794	AIX	AIX
Riez	Riez	Riez	Riez	Riez	Riez
Apt	Apt	Apt	Apt	Apt	Apt
Fréjus	Fréjus	Fréjus	Fréjus	Fréjus	Fréjus
Sisteron	Sisteron	Sisteron	Sisteron	Sisteron	Sisteron
Gap	Gap	Gap	Gap	Gap	Gap
Antibes	Antibes	Antibes	*Grasse 1244 appartient aux Alpes Maritimes*		

VIENNOISE

NOTITIA	V°-VI°	VI° au VIII°	JEAN XXII	XIII°-XV°	XVII°-XVIII
VIENNE	VIENNE	VIENNE	VIENNE	VIENNE	VIENNE
Genève	Genève	Genève	Genève	Genève/Annecy	(Genève/Annecy)
Grenoble	Grenoble	Grenoble	Grenoble	Grenoble	Grenoble
Aps/Alba	Viviers	Viviers	Viviers	Viviers	Viviers
*Valence	Valence	Valence	Valence	Valence	Valence
*Die	Die	Die	Die	Die	Die
	appartient aux Alpes Grées		Maurienne	Maurienne	(Maurienne)

NOTITIA	V°-VI°	VI° au VIII°	JEAN XXII	XIII°-XV°	XVII°-XVIII
Arles	ARLES 417/450	ARLES	ARLES	ARLES	ARLES
Marseille	Marseille	Marseille	Marseille	Marseille	Marseille
Orange	Orange	Orange	Orange	Orange	Orange
St Paul	St Paul	St Paul	St Paul	St Paul	St Paul
*Toulon	Toulon	Toulon	Toulon	Toulon	Toulon

NOTITIA	V°-VI°	VI° au VIII°	JEAN XXII	XIII°-XV°	XVII°-XVIII
Avignon	Avignon	Avignon	Avignon	AVIGNON 1475	(AVIGNON)
Cavaillon	Cavaillon	Cavaillon	Cavaillon	Cavaillon	(Cavaillon)
Vaison	Vaison	Vaison	Vaison	Vaison	(Vaison)
	Carpentras	Carpentras	Carpentras	Carpentras	(Carpentras)

ALPES GREES ET PENNINES

Tarentaise	Tarentaise	TARENTAISE	TARENTAISE	TARENTAISE	(TARENTAISE)
Martigny	Martigny	Sion	Sion	Sion	(Sion)
		Maurienne	*restituée à la province de Viennoise*		
	Aoste 390	Aoste	Aoste	Aoste	(Aoste)

ALPES MARITIMES

EMBRUN	Embrun 450	EMBRUN 794	EMBRUN	EMBRUN	EMBRUN
Digne	Digne	Digne	Digne	Digne	Digne
	Glandève	Glandève	Glandève	Glandève	Glandève
Cimiez	†463/66 Nice				
*Nice	Nice	"Nice et Cimiez"	"Nice"(XII°s)	Nice	(Nice)
	Vence	Vence	Vence	Vence	Vence
	Senez	Senez	Senez	Senez	Senez
	Thorame†450				
Castellane	† 442 Senez				
à la Narbonnaise II		Antibes 794/1057	Grasse 1244	Grasse	Grasse

188

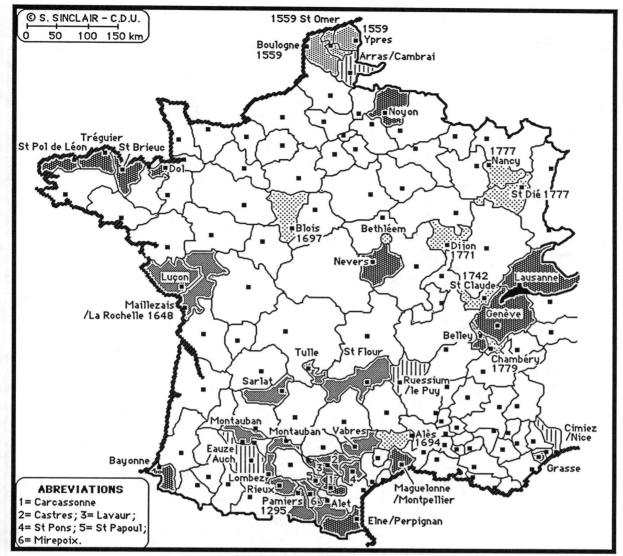

0   50   100   150 km

1559 St Omer

Boulogne
1559

1559
Ypres

Arras/Cambrai

Noyon

Tréguier

St Pol de Léon   St Brieuc

Dol

1777
Nancy

St Dié 1777

Blois
1697

Bethléem

Dijon
1771

Nevers

Lausanne

1742
St Claude

Luçon

Genève

Maillezais
/La Rochelle 1648

Belley

Chambéry
1779

Tulle   St Flour

Ruessium
/le Puy

Sarlat

Cimiez
/Nice

Montauban

Montauban   Vabres

Alès
1694

Eauze
/Auch

Grasse

Bayonne

Lombez
Rieux

2
3   5
1   4

Maguelonne
/Montpellier

Pamiers   6   Alet
1295

Elne/Perpignan

ABREVIATIONS
1= Carcassonne
2= Castres; 3= Lavaur;
4= St Pons; 5= St Papoul;
6= Mirepoix.

LES CREATIONS D'EVECHES JUSQU'EN 1789

LEGENDE

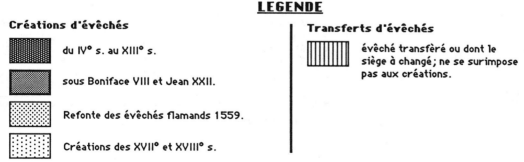

Créations d'évêchés

du IV° s. au XIII° s.

sous Boniface VIII et Jean XXII.

Refonte des évêchés flamands 1559.

Créations des XVII° et XVIII° s.

Transferts d'évêchés

évêché transféré ou dont le
siège à changé; ne se surimpose
pas aux créations.

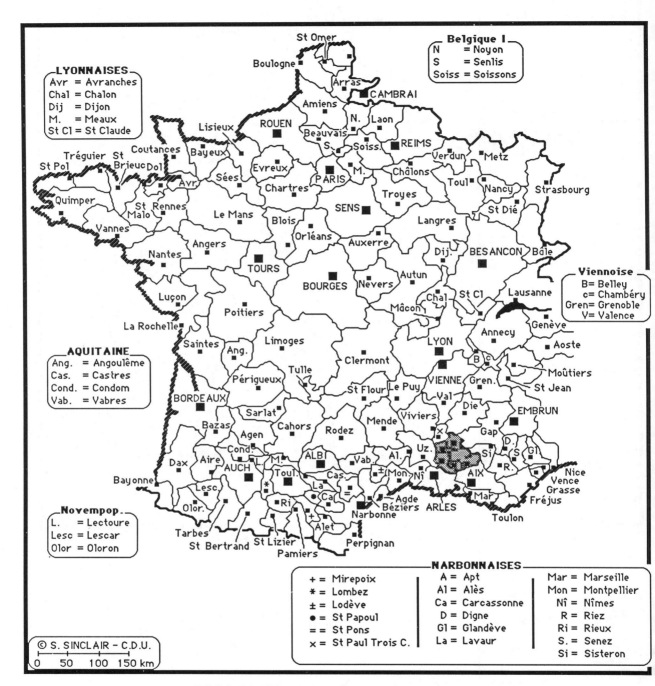

LES EVECHES FRANCAIS EN 1789

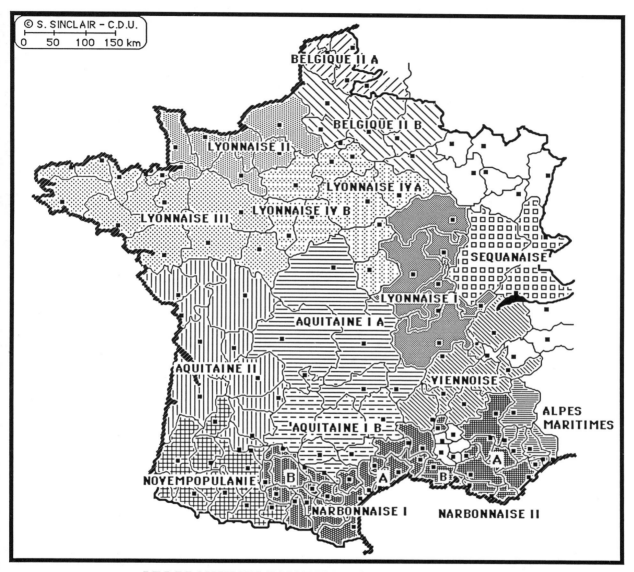

LES PROVINCES ECCLESIASTIQUES EN 1789.

Chapitre II

Les évêchés depuis 1790

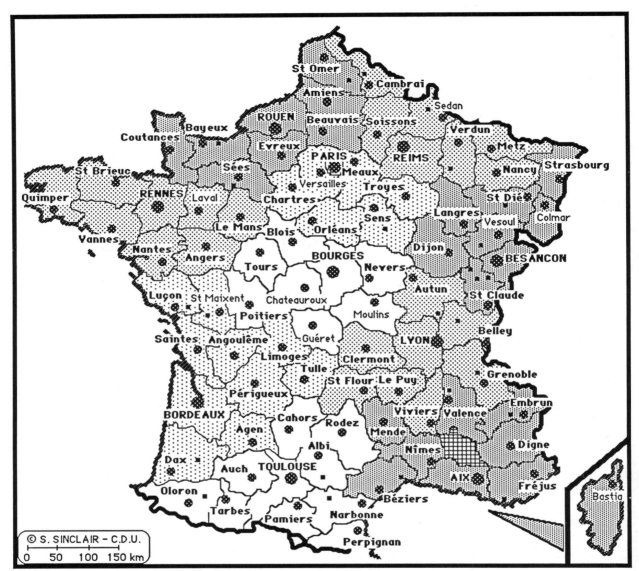

LA FRANCE RELIGIEUSE EN 1790

LEGENDE

⊛ Archevêché

⊛ Evêché

Narbonne   Evêché d'Ancien Régime maintenu

Versailles   Création révolutionnaire

194

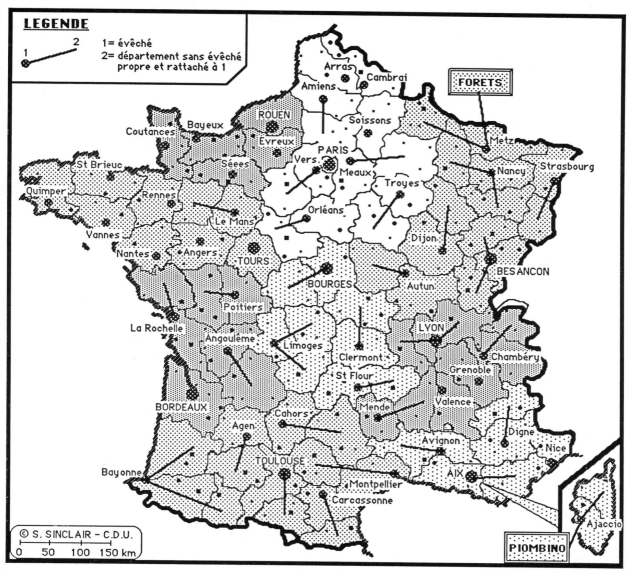

LEGENDE

1 = évêché
2 = département sans évêché
propre et rattaché à 1

FORETS

PIOMBINO

LA FRANCE RELIGIEUSE EN 1801
à l'issue du Concordat

195

LES EVECHES FRANCAIS AU XIX° s.

CONCORDAT	1822-1823	1830-1870	1871-1940	1945-1961
LYON	LYON	LYON	LYON	LYON
Grenoble	Grenoble	Grenoble	Grenoble	Grenoble
Autun	Autun	Autun	Autun	Autun
Dijon	Dijon	Dijon	Dijon	Dijon
	+ Langres	Langres	Langres	Langres
(Besançon)	+ St Claude/Lons	St Claude/Lons	St Claude/Lons	à Besançon 1947
	Belley est à Besançon jusqu'en 1947			+ Belley 1947
Valence	à Avignon à partir de 1822			
Mende	à Albi à partir de 1822			
Chambéry	[CHAMBERY]1817	[CHAMBERY]	CHAMBERY [1860]	CHAMBERY
	+ [Annecy] 1822	[Annecy]	Annecy [1860]	Annecy
	+ [St Jean] 1825	[St Jean]	St Jean [1860]	St Jean
	+ [Tarentaise] 25	[Tarentaise]	Tarentaise [1860]	
BESANCON	BESANCON	BESANCON	BESANCON	BESANCON
Nancy	Nancy	Nancy	Nancy	Nancy
	+ Verdun 1822	Verdun	Verdun	Verdun
	+ St Dié 1822	St Dié	St Dié	St Dié
(Lyon)	+ Belley 1822	Belley	Belley	à Lyon en 1947
Strasbourg	Strasbourg	Strasbourg	[Strasbourg] 1919	sous le régime
Metz	Metz	Metz	[Metz] 1919	concordataire
ROUEN	ROUEN	ROUEN	ROUEN	ROUEN
Bayeux	Bayeux	Bayeux	Bayeux	Bayeux
Sées	Sées	Sées	Sées	Sées
Coutances	Coutances	Coutances	Coutances	Coutances
Evreux	Evreux	Evreux	Evreux	Evreux

CONCORDAT	1822-1823	1830-1870	1871-1940	1945-1961
TOURS	TOURS	TOURS	TOURS	TOURS
Angers	Angers	Angers	Angers	Angers
Nantes	Nantes	Nantes	Nantes	Nantes
Le Mans	Le Mans	Le Mans	Le Mans	Le Mans
		+ Laval 1855	Laval	Laval
Rennes	Rennes	RENNES 1859	RENNES	RENNES
Quimper	Quimper	Quimper	Quimper	Quimper
Vannes	Vannes	Vannes	Vannes	Vannes
St Brieuc	St Brieuc	St Brieuc	St Brieuc	St Brieuc
PARIS	PARIS	PARIS	PARIS	PARIS
Meaux	Meaux	Meaux	Meaux	Meaux
Versailles 1802	Versailles	Versailles	Versailles	Versailles
Orléans	Orléans	Orléans	Orléans	Orléans
	+ Chartres 1822	Chartres	Chartres	Chartres
	+ Blois	Blois	Blois	Blois
(Meaux)	+ REIMS 1822	REIMS	REIMS	REIMS
(Meaux)	+ Châlons	Châlons	Châlons	Châlons
Soissons	Soissons	Soissons	Soissons	Soissons
Amiens	Amiens	Amiens	Amiens	Amiens
	+ Beauvais 1823	Beauvais	Beauvais	Beauvais
Cambrai	Cambrai	CAMBRAI 1841	CAMBRAI	CAMBRAI
			+ Lille 1913	Lille
Arras	Arras	Arras	Arras	Arras
Troyes	Troyes	Troyes	Troyes	Troyes
	+ SENS 1822	SENS	SENS	SENS
(Autun)	+ Nevers 1822	Nevers	Nevers	Nevers
(Clermont)	+ Moulins 1822	Moulins	Moulins	Moulins

CONCORDAT	1822-1823	1830-1870	1871-1940	1945-1961
BOURGES	**BOURGES**	**BOURGES**	**BOURGES**	**BOURGES**
Clermont	Clermont	Clermont	Clermont	Clermont
Limoges	Limoges	Limoges	Limoges	Limoges
	+ Tulle 1822	Tulle	Tulle	Tulle
St Flour	St Flour	St Flour	St Flour	St Flour
	+ Le Puy 1822	Le Puy	Le Puy	Le Puy
BORDEAUX	**BORDEAUX**	**BORDEAUX**	**BORDEAUX**	**BORDEAUX**
Poitiers	Poitiers	Poitiers	Poitiers	Poitiers
Angoulême	Angoulême	Angoulême	Angoulême	Angoulême
	+ Périgueux 1822	Périgueux	Périgueux	Périgueux
La Rochelle	La Rochelle	La Rochelle	La Rochelle	La Rochelle
	+ Luçon 1822	Luçon	Luçon	Luçon
à Toulouse	Agen 1822	Agen	Agen	Agen
TOULOUSE	**TOULOUSE**	**TOULOUSE**	**TOULOUSE**	**TOULOUSE**
	+ Pamiers 1822	Pamiers	Pamiers	Pamiers
Carcassonne	Carcassonne	Carcassonne	Carcassonne	Carcassonne
(Cahors)	+ Montauban 1822	Montauban	Montauban	Montauban
(Montpellier)	+ ALBI 1822	ALBI	ALBI	ALBI
Cahors	Cahors	Cahors	Cahors	Cahors
	+ Rodez 1822	Rodez	Rodez	Rodez
à Lyon	Mende 1822	Mende	Mende	Mende
(Carcassonne)	+ Perpignan 1822	Perpignan	Perpignan	Perpignan
Agen	*à Bordeaux à partir de 1822*			
Bayonne	Bayonne	Bayonne	Bayonne	Bayonne
	+ AUCH 1822	AUCH	AUCH	AUCH
	+ Aire 1822	Aire	Aire	Aire/Dax
	+ Tarbes 1822	Tarbes	Tarbes	Tarbes

198

…/… voir la suite page suivante

CONCORDAT	1822-1823	1830-1870	1871-1940	1945-1961
Avignon	AVIGNON 1822	AVIGNON	AVIGNON	AVIGNON
	+ Nîmes 1822	Nîmes	Nîmes	Nîmes
Montpellier	Montpellier	Montpellier	Montpellier	Montpellier
(Mende)	+ Viviers 1822	Viviers	Viviers	Viviers
à Lyon	Valence 1822	Valence	Valence	Valence
AIX	AIX	AIX	AIX	AIX
	+ Fréjus 1822	Fréjus	Fréjus	Fréjus
	+ Marseille 1822	Marseille	Marseille	MARSEILLE 1948
				dépend du StSiège
Ajaccio	Ajaccio	Ajaccio	Ajaccio	Ajaccio
Digne	Digne	Digne	Digne	Digne
	+ Gap	Gap	Gap	Gap
Nice	[Nice]	[Nice]	Nice [1860]	Nice

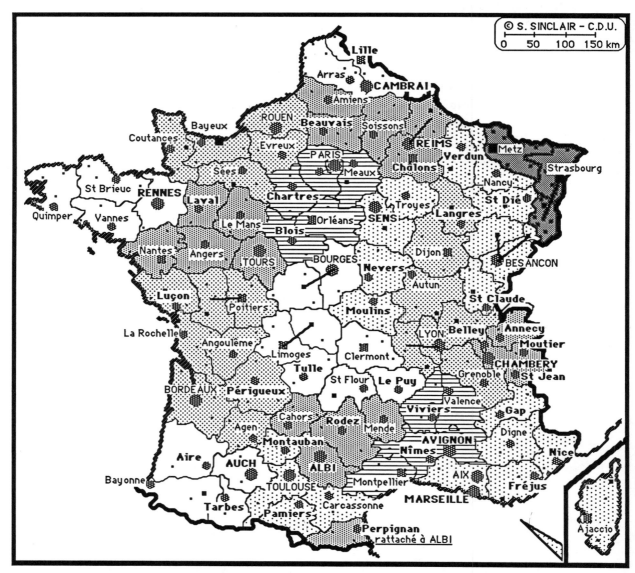

LES EVECHES FRANCAIS DE 1817 à 1962

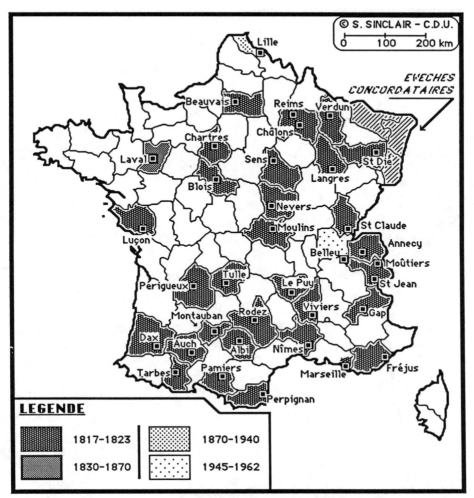

© S. SINCLAIR – C.D.U.

0   100   200 km

EVECHES
CONCORDATAIRES

Lille

Beauvais   Reims   Verdun

Chartres   Châlons

Laval   Sens   St Dié

Blois   Langres

Nevers

Luçon   Moulins   St Claude

Belley   Annecy

Tulle   Moûtiers

Périgueux   Le Puy   St Jean

Rodez   Viviers   Gap

Montauban

Dax   Auch   Albi   Nîmes

Tarbes   Pamiers   Marseille   Fréjus

Perpignan

LEGENDE

1817-1823	1870-1940
1830-1870	1945-1962

LES CREATIONS EPISCOPALES
1817-1962

LEGENDE DE LA CARTE p. 200

Chaque province épiscopale est représentée par un grisé.

Chartres : évêché créé entre 1817 et 1962;
évêché érigé en archevêché pendant la même période.

Dijon : évêché déja existant en 1817

: département dépourvu d'évêché et dépendant de l'évêché de...

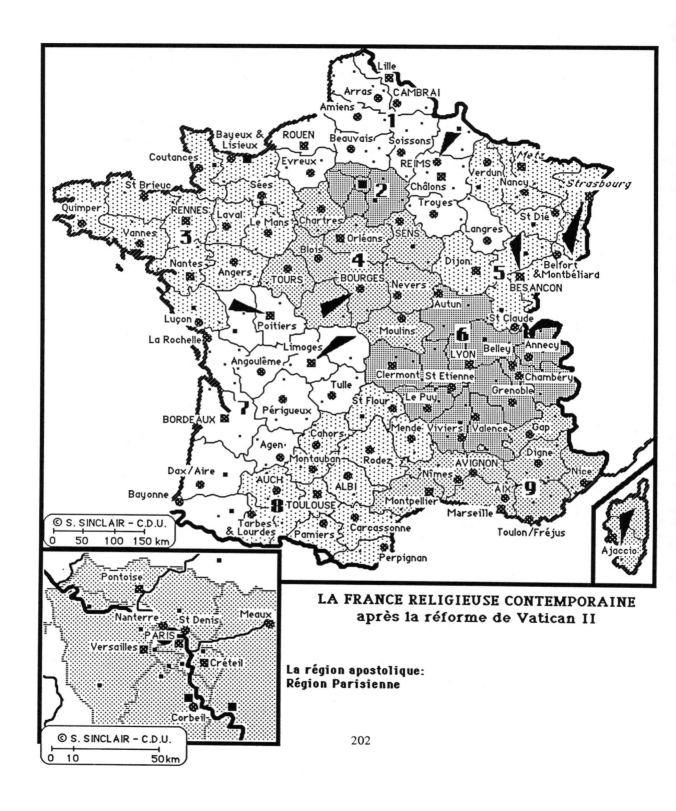

LA FRANCE RELIGIEUSE CONTEMPORAINE
après la réforme de Vatican II

La région apostolique:
Région Parisienne

202

LEGENDE

✤ Gap   évêché

✤ LYON   archevêché

✤ *Strasbourg*   évêché concordataire dépendant du Saint-Siège

                         département dépourvu de siège épiscopal et rattaché à
                                l'évêché de...

PROVINCES APOSTOLIQUES ISSUES DU CONCILE VATICAN II

1 PROVINCE APOSTOLIQUE du NORD

2 PROVINCE APOSTOLIQUE : REGION PARISIENNE

3 PROVINCE APOSTOLIQUE de l'OUEST

4 PROVINCE APOSTOLIQUE du CENTRE

5 PROVINCE APOSTOLIQUE de l'EST

6 PROVINCE APOSTOLIQUE du CENTRE-EST

7 PROVINCE APOSTOLIQUE du SUD-OUEST

8 PROVINCE APOSTOLIQUE de MIDI-PYRENEES

9 PROVINCE APOSTOLIQUE de PROVENCE-MEDITERRANEE

Chapitre III

La France protestante

LEGENDE

- ⊡ Frontière du Royaume en 1610
- ⊙ Communauté ou église importante
  les parenthèses indiquent que le temple se trouve à la périphérie

Liste des provinces synodales

1- Ile de France; Champagne; Picardie	9- Béarn
2- Normandie	10- Haut-Languedoc; Haute-Guyenne
3- Bretagne	11- Bas-Languedoc
4- Anjou; Touraine; Maine	12- Cévennes
5- Orléanais; Berry	13- Vivarais
6- Poitou	14- Provence
7- Saintonge; Aunis; Angoûmois	15- Dauphiné
8- Basse-Guyenne	16- Bourgogne

LES PROVINCES SYNODALES PROTESTANTES AU XVII° s.

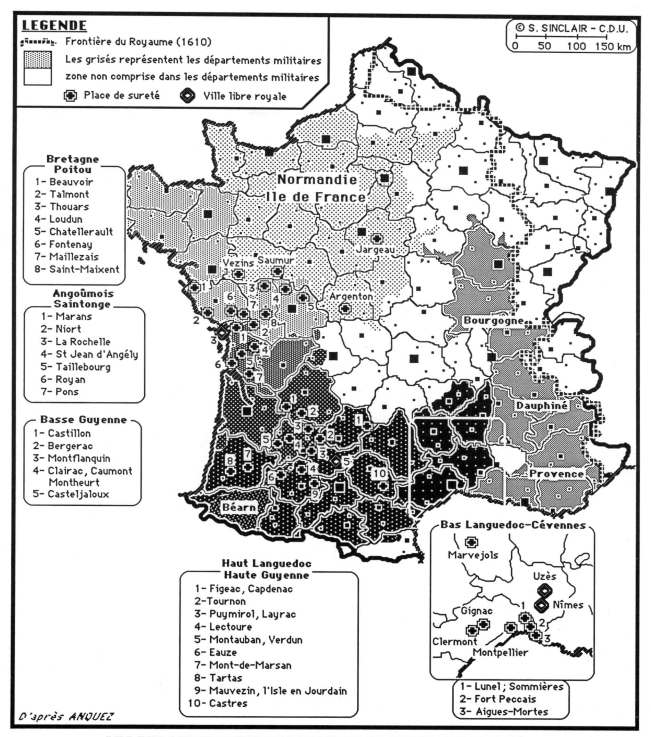

LEGENDE

Frontière du Royaume (1610)

Les grisés représentent les départements militaires

zone non comprise dans les départements militaires

⊞ Place de sureté ◈ Ville libre royale

© S. SINCLAIR - C.D.U.

0   50   100   150 km

Bretagne
Poitou
1- Beauvoir
2- Talmont
3- Thouars
4- Loudun
5- Chatellerault
6- Fontenay
7- Maillezais
8- Saint-Maixent

Angoûmois
Saintonge
1- Marans
2- Niort
3- La Rochelle
4- St Jean d'Angély
5- Taillebourg
6- Royan
7- Pons

Basse Guyenne
1- Castillon
2- Bergerac
3- Montflanquin
4- Clairac, Caumont
   Montheurt
5- Casteljaloux

Normandie
Ile de France

Jargeau

Vezins Saumur

Argenton

Bourgogne

Dauphiné

Provence

Béarn

Haut Languedoc
Haute Guyenne
1- Figeac, Capdenac
2- Tournon
3- Puymirol, Layrac
4- Lectoure
5- Montauban, Verdun
6- Eauze
7- Mont-de-Marsan
8- Tartas
9- Mauvezin, l'Isle en Jourdain
10- Castres

Bas Languedoc-Cévennes

Marvejols

Uzès

Gignac   Nîmes

Clermont   Montpellier

1- Lunel ; Sommières
2- Fort Peccais
3- Aigues-Mortes

D'après ANQUEZ

LES DEPARTEMENTS MILITAIRES PROTESTANTS EN 1621
(créés par l'assemblée de La Rochelle)

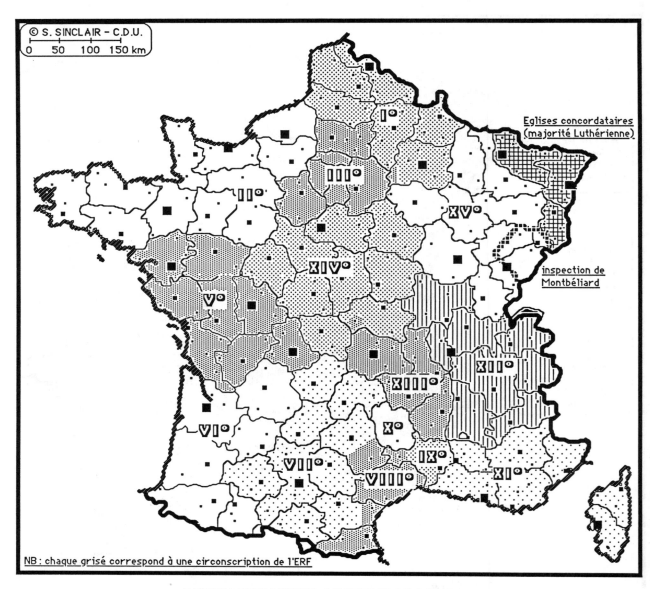

**L'ORGANISATION CONTEMPORAINE
DE L'EGLISE REFORMEE DE FRANCE**

BIBLIOGRAPHIES
ET
INDEX

BIBLIOGRAPHIE CRITIQUE

Cette bibliographie n'a aucune prétention à l'exhaustivité; nous y avons recensé:
1- Dans les trois premières parties: les documents fondamentaux pour la géographie historique de la France *et de ses colonies* : atlas et ouvrages généraux.
2- Dans la quatrième partie: carte par carte, les sources que nous avons utilisées et les critiques que l'on peut leur apporter.
Il s'agit toujours d'ouvrages de référence, édités ou présents aux usuels des bibliothèques universitaires. Nous avons travaillé sur les atlas conservés au département des Cartes et Plans de la Bibliothèque Nationale à Paris.

PREMIERE PARTIE : LES ATLAS GENERAUX

Chapitre Ier . - *Atlas historiques disponibles actuellement*

Ces dernières années ont vu la parution, en France, de nombreux atlas généraux qui ne concernent la géographie historique que d'une façon marginale; on trouvera cependant des cartes intéressantes dans :

DUBY G. *préf. et dir.*, BECILLE M.,THIBAULT P., REYNAUD-DULAURIER G., *et al. Atlas historique Larousse.* Paris: Larousse, 1978.
  Un bon atlas, d'une présentation attrayante (cartes en couleurs accompagnées d'une légende synthétique en regard) et qui se veut résolument "moderne"; les cartes, toujours accompagnées d'une notice synthétique, proviennent toutes de la *Grande Encyclopédie Larousse* . L'ouvrage est divisé en trois sections:
  MONDE ANCIEN jusqu'à l'An Mil: [23a] **Conquête des Gaules par César**; [23 b] la **révolte gauloise de 52 av. J.C.**; [24 b] bonne carte des **routes et courants commerciaux en Gaule.**
  EUROPE DEPUIS L'AN MIL: CARTES GENERALES: [42] carte très évocatrice de l'expansion de l'ordre **clunisien** établie par époque; [66 à 70] cartes de la **Révolution et de l'Empire** avec le détail des campagnes napoléoniennes.
  EUROPE DEPUIS L'AN MIL: CARTES PAR PAYS: [108 a] bonne carte des **invasions barbares en Francia aux IX°-X°s.**; [109] carte médiocre du **domaine royal des premiers capétiens** qui s'efforce de simplifier les cartes de NEWMANN; [120 a & b] le **développement des chemins de fer en France**; bonnes cartes coloniales: [191 c] l'**Indochine Française**; [211] La découverte de l'Afrique au XIX° s.; [219] excellente représentation de la **pénétration française au Maroc**; [224] **exploration et colonisation de Madagascar**; [234 b] exploration européenne en **Amérique du nord avant 1663**; [235] exploration européenne en **Amérique du nord de 1663 à 1789**; [236 a & b] excellentes cartes de la **colonisation française au Canada** et des règlements territoriaux en **Amérique du nord de 1697 à 1713**; [237] l'**Amérique du nord de 1763 à 1774**; [248] **explorations et découvertes dans le Pacifique du XVII° au XIX° siècle.**

Les Allemands restent donc jusqu'à présent les maitres incontestés de la cartographie historique avec les classiques:

STIER H.-E., KIRSTEN E., WUHR W. *et al., Westermann Grosser Atlas zur Weltgeschichte.* 20e éd.Braunschweig: G. Westermann, 1978. 248 p.
  Reprise d'un atlas plus ancien qui couvre toute l'histoire mondiale, avec un intérêt particulier pour les pays germaniques on y trouvera cependant d'excellentes cartes sur la **Gaule Romaine** [36], l'**empire carolingien** [54], la **France féodale** [58]; carte cependant d'une chronologie trop lâche puisqu'elle

juxtapose des Etats territoriaux consolidés à des époques différentes], les **possessions des ducs Valois de Bourgogne** [95]; carte excellente qu'on doit mettre en rapport avec la carte 70 qui montre les **territoires des grandes familles d'Empire au XIV° siècle, la frontière française du nord et de l'est du XVI° s. à 1795** [114; assez simpliste et d'un usage cependant ardu puisque cette frontière se construit par blocs territoriaux étroitement enchevêtrés et que son histoire n'est vraiment perceptible que sur une série de cartes]; d'excellentes cartes coloniales: [132]: l'**Afrique avant 1850**; [146]: l'**Afrique à la fin du XIX° s.**; [162 (III)]: la **décolonisation de l'Afrique**].

BENGSTER H., MILOJCIC V., *Grosser historischer Weltatlas: herausgegeben vom Bayerischen Schulbuch-Verlag*, t.1, *Vorgeschichte und Altertum*. 2e éd. München: Bayerischer Schulbuch-Verlag, 1954.

ENGEL J., MAGER W., BIRKEN A., *Grosser historischer Weltatlas: herausgegeben vom Bayerischen Schulbuch-Verlag*, t.2, *Mittelalter*. 2e éd. München: Bayerischer Schulbuch-Verlag, 1970.

NOACK U., SCHIEDER T., WAGNER F., ENGEL J., *Grosser historischer Weltatlas: herausgegeben vom Bayerischen Schulbuch-Verlag*, t.3, *Neuzeit*. 1ere éd. München: Bayerischer Schulbuch-Verlag, 1957.
A notre avis, le meilleur atlas historique contemporain par la qualité de la documentation et des cartes, bien que seul le tome sur le Moyen Age nous semble nécessaire; assez orienté sur les pays d'Europe centrale et de l'est et parfois malcommode (calques se rabattant sur certaines cartes et s'y ajustant mal).
Le PREMIER TOME traite de la préhistoire et de l'Antiquité: cartes très simplistes et sans aucun intérêt pour la Gaule.
Le SECOND TOME concerne le Moyen Age: nous en avons tiré d'abondants renseignements: [59] carte de la **côte flamande de l'Antiquité à nos jours** qui complète celle de l'*Atlas de Géographie historique de la Belgique* (v. infra); [65 a] intéressante carte de la **Gaule franque religieuse** (évêchés et abbayes avec dates de fondation); [77 b] carte de **Paris du Moyen-Age au XIX° s.** qui donne les limites des murailles; [80; 81; 82 a & b; 83] cartes des **ordres religieux au Moyen-Age:** réforme de Cluny, Gorze et Saint Victor de Marseille; expansion des Cisterciens et des Prémontrés; ordres de chevalerie; Franciscains et Dominicains; bonnes cartes pour un repérage d'ensemble: on aura plutot recours, pour la France, à celles de l'*Atlas zur Kirchengeschichte* et de l'*Atlas Cistercien* (v.infra dans la bibliographie religieuse); [93 d et e] cartes des **seigneurs et des vassaux des comtes de Champagne**, reprises, à plus petite échelle, de la carte de l'atlas de SCHRADER (v. infra); [112 a et b] la **ligue du Rhin aux XIII° et XIV° s.** utile pour les "affaires d'Alsace" au temps de Charles le Téméraire; [117 carte et calque] la meilleure carte des **Etats bourguignons** car elle donne en plus les ressorts des diverses chambres des comptes (Dijon, Lille puis Bruxelles et Malines), complétée par le calque des **possessions de Louis d'Orléans** qui s'y superpose et matérialise ainsi les luttes des deux maisons; [134 a et b] très importantes cartes des **possessions angevines et de celles de la Maison d'Aragon du X° au XIV° s.**
Le TROISIEME TOME concerne l'histoire moderne et contemporaine: nous ne retiendrons que [133], les **frontières du nord et de l'est de la France au XVII° s.**, plus précise que celle qui lui correspond dans le Westermann, particulièrement pour la politique des Réunions; [140 a, b, c, d] cartes classiques des **divisions administratives d'Ancien Régime**; [148 a, d] excellentes cartes des colonies d'Amérique du Nord jusqu'en 1763 et de 1763 à 1825; [161 d et e] la **guerre franco-prussienne de 1870-1871**: les opérations et l'occupation allemande (organisation administrative de cette occupation militaire).

KINDER H., HILGEMANN W., *dtv-Atlas zur Weltgeschichte: Karten und chronologischer Abriss*, t.1, *Von der Anfängen bis zur Französischen Revolution*. 10e éd. Stuttgart: Deutsche Verlags-Anstalt, 1974.

KINDER H., HILGEMANN W., *dtv-Atlas zur Weltgeschichte: Karten und chronologischer Abriss*, t. 2, *die Moderne Zeit*. 10e éd. Stuttgart: Deutsche Verlags-Anstalt, 1974.

Atlas de format de poche (traduit et modifié par Le Livre de Poche en France) où les cartes sont accompagnées en regard d'une chronologie détaillée. Cette édition a peu d'intérêt car elle reste presque uniquement attachée à l'histoire allemande et car le format choisi n'assure aucune précision.

enfin, nous avons été particulièrement séduit par la refonte de l'atlas de la *Cambridge Modern History* :

DARBY HC., FULLARD H., *The New Cambridge Modern History*, t. 14, *Atlas*. Cambridge: Cambridge University Press, 1970.

Ouvrage maniable et très clair privilégiant le système des suites de cartes de synthèse qui constituent ainsi une sorte de "film"; cela se fait cependant au dépens de la lisibilité car le format et le grand nombre de cartes générales du monde ou de l'Europe n'autorisent que des échelles réduites. Le livre est divisé en deux sections:
des CARTES GENERALES tout d'abord: les **guerres européennes** et les **traités** qui y ont mis fin; les **campagnes de Napoléon**; l'évolution des Etats européens;
puis des CARTES PAR PAYS ou PAR CONTINENT; pour la FRANCE [108] excellente carte des **frontières du Nord et de l'Est**; bonne série des classiques **cartes de l'administration d'Ancien Régime**: [112 a] routes, [112b] taxes et douanes, [113 a] pays d'états et d'élections, [113 b] cadres d'administration générale;deux cartes de l'**administration révolutionnaire et impériale** [114 a & b];
pour les ANTILLES, bonne série de cartes retraçant leur colonisation: [229] de 1525 à 1650, [230] de 1650 à 1763, [231] de 1763 à 1830, [232] de 1830 à 1910;
de même pour l'AFRIQUE [243 à 249] avec des cartes plus précises de la **colonisation de l'Afrique occidentale** [253] et de l'**Afrique du nord-ouest** [254];
enfin, pour l'ASIE, carton des **territoires à bail en Chine** [275].

Chapitre II . - *Les atlas anciens aujourd'hui épuisés.*

Dès 1969, à l'initiative d'universitaires et d'érudits (direction scientifique de Robert-Henri Bautier) fut fondée la Société de l'Atlas Historique Français dont le projet était la constitution d'un ensemble complet d'atlas historiques des régions françaises; ses publications, d'abord éditées par Belfram puis Armand Colin le furent enfin par l'Institut Géographique National et le CNRS; mais les réductions budgétaires frappèrent cette entreprise de plein fouet et arrêtèrent définitivement sa publication: alors que la conception initiale était d'accompagner le volume des cartes d'un volume de texte (légendes et bibliographie succinte, listes épiscopales et abbatiales, tableaux généalogiques des familles régnantes locales, thesaurus des notables par disciplines, répertoire topo-bibliographique etc.), les atlas consacrés à la Savoie et à l'Agenais ne comprirent que le volume de cartes; les épreuves -achevées- des atlas de Franche Comté, d'Alsace et du Limousin et de la Marche ne pourront pas être éditées (celles qui concernent le Limousin sont cependant consultables à la bibliothèque de Limoges).
Furent tout de même publiés:

BARATIER E., DUBY G., HILDESHEIMER E., *et al. Atlas Historique Français (le territoire de la France et de quelques pays voisins): Provence, Comtat Venaissin, principauté d'Orange, comté de Nice, principauté de Monaco*. Paris: Armand Colin, 1969.

Nous avons utilisé: [41] les **évêchés provençaux de l'Antiquité tardive**, qui donne leurs premières attestations et les différents rattachements; [48] les **grands fiefs au XII° s.**; [57] l'**expansion provençale vers l'est sous les Angevins (1258-1328)**: importante pour la politique italienne de Charles d'Anjou et de ses successeurs; complétée par [58], le **"comté de Piémont de la maison** d'Anjou" et par [59], l'expansion provençale vers le nord et l'ouest (XIII°-XIV° siècles) qui montre l'affermissement des frontières du comté avec le Dauphiné et le Comtat; [60], le **domaine comtal de Provence vers 1265**, carte dressée par Edouard Baratier d'après l'enquête générale menée sous Charles d'Anjou; [62] **formation de l'Etat pontifical au XIV°s.**;

en outre, pour l'époque moderne et contemporaine: [117], carte générale des **diocèses et paroisses en 1789**; [179], **le département des Alpes Maritimes de 1860 à 1947**, qui indique les modifications de frontières consécutives au plebiscite de 1860 et au traité de paix franco-italien de 1947.

FAVREAU R., et al. *Atlas Historique Français (le territoire de la France et de quelques pays voisins): Anjou.* Paris: Institut Géographique National, 1973.

Nous avons utilisé: [5 (4)] la **Marche de Bretagne au IX° s.**; [6] l'Anjou issu de la deuxième dissociation territoriale qui indique l'étendue du pagus en 987 puis l'**expansion sous Foulque Nerra et Geoffroy Martel**: peu utilisable par manque de points de repère; [7 (5)] les **marches séparantes d'Anjou-Poitou-Bretagne**; [16 (4)] la **sénéchaussée d'Anjou en 1789**.

MARIOTTE JY., PERRET A., *Atlas Historique Français (le territoire de la France et de quelques pays voisins): Savoie Propre, Maurienne, Tarentaise, Bresse, Bugey, Dombes, Valromey, Chablais, Faucigny, Genevois, Genève.* Paris: Armand Colin, 1979.

Nous avons utilisé: [21 b] **possessions du comte Thomas I** [er] **vers 1189**; [22 a] l'**Etat féodal vers 1340**; [29 a] l'**Etat de Savoie et la principauté des Dombes (1514-1569)** qui retrace les différentes occupations françaises du début du XVI° siècle et la façon dont leurs effets furent annulés; [29 b] l'Etat de Savoie-Sardaigne: 1570-1792;

pour l'époque contemporaine: [41] les **départements alpins de 1800 à 1814**; [44 a] les **traités de Paris de 1814 et 1815** et [44 b] les **zones franches depuis 1815**: cartes intéressantes; [46] les **provinces ecclésiastiques après 1815**, qui montre la concommitance des créations d'évêchés en France et dans l'Etat savoyard, pendant la Restauration; [64] le **réseau routier après 1815** et [65] le **réseau ferroviaire**.

BURIAS J., *Atlas Historique Français (le territoire de la France et de quelques pays voisins): Agenais, Condomois, Brulhois.* Paris: Armand Colin, 1979.

nous semble d'un moindre intérêt, cette région - d'une faible étendue - n'ayant jamais abrité de principauté importante ni joué de role éminent dans la formation du territoire français.

D'une utilité immédiate, les classiques atlas de l'école historique française de la fin du XIX° s.:

VIDAL-LABLACHE, *Atlas Historique et Géographique* . Paris: Armand Colin, 1955.

Réédition d'un ouvrage plus ancien, il s'agit d'un atlas sommaire de l'histoire mondiale; on y trouve tout de même: [21] les **partages mérovingiens**; [35] les **villes protestantes sous Louis XIV et les cercles militaires protestants**; [37 (1)] l'**Inde pendant l'administration de Dupleix (1741-1754)**; [37 (2)] les **colonies françaises et anglaises d'Amérique du nord au moment du traité de Paris (1763)**; [40-41] bonne série de cartes de l'époque napoléonienne; [42] excellente carte des **campagnes napoléoniennes** (avec les zones d'opérations); [43] la **France pendant la Révolution**: anciennes provinces, créations départementales; [51] **conquête de l'Algérie** qui indique clairement l'étendue de la révolte d'Abd el Kader.

la partie géographique peut aussi intéresser l'historien, en particulier pour les **cadres administratifs et les colonies**: [72] chemins de fer et régions de rattachement (reliquat des concessions aux compagnies ferroviaires d'avant 1937); [73] les canaux; [78 & 79] Afrique du nord française: départements algériens; [80 & 81] excellente série de cartes coloniales; [81 a & 81 b] divisions administratives de l'Indochine.

LONGNON A., *Atlas historique de la France depuis César jusqu'à nos jours*. Paris: Hachette, 1889.

Publié sous la forme de fascicules, il ne put être mené jusqu'à son terme et s'arrête donc en 1380; il reste néanmoins l'atlas le plus utile et le plus précis pour la géographie historique de la France (nous avons suivi Auguste Longnon quand nous avons représenté le cadre départemental sur nos fonds de cartes).

On y trouve les limites exactes des **civitates gallo-romaines** [1] **Gaule à l'arrivée de César** et [2] **Gaule sous la domination romaine vers 400 après JC.**; cartes uniques de tous les **partages mérovingiens** [3] (VI°s, 506, 523, 545, 561, 567, 583, 585, 587, 594, 600, 622/625, 625/628, 628/630, fin VII° s., 714, 768/771) et des **partages carolingiens** [5] (817, 843, 855, 863, 870, 880, 890, 912, 950); [6, 7, 8, 9] quatres planches à grande échelle des **pagi carolingiens**: restent absolument fondamentales pour la géographie féodale; quelques cartes d'un moindre intérêt car à trop petite échelle: **France vers 1032, en 1154** (inférieure à celle de l'*Atlas* de SCHRADER), **en 1200, en 1223 et en 1241**; plus utile: la **France après le traité de Paris de 1259**, la **France ecclésiastique de 1297 à 1317**, la **France féodale en 1328** toutes trois à grande échelle; carte indispensable - même si ses conclusions sont contestées par G. DUPONT-FERRIER dans la carte accompagnant la *Gallia Regia* - des **divisions administratives sous le règne de Philippe le Bel** (état en 1305) qui représente les ressorts des bailliages et des sénéchaussées; cartes de la **France en 1361 et en 1380**, à la mort de Charles V.

SCHRADER F. *et al.*, *Atlas de Géographie Historique*. Nouv. éd. rev. Paris: Hachette, 1907.

Excellent atlas d'histoire mondiale, de l'Antiquité classique à la fin du XIX° s.; chaque carte est encadrée par deux pages de texte qui la replacent dans son environnement historique (résumé des événements) - faisant de l'atlas un véritable manuel de géographie historique - et qui approfondissent parfois, à l'aide de cartes plus petites et en noir et blanc, des points particuliers qui n'ont pas forcément de rapport avec la carte principale. Nous nous sommes inspiré des cartes: [19] l'**empire carolingien après le partage de 806**; [21] **La région française à la fin du X° siècle** d'A. LONGNON - qui donne une carte sur le même sujet, à une plus grande échelle dans son *Atlas* - décrit l'état des pagi gallo-francs en 987 (source de nos cartes au 1/3.300.000 ème); La **France féodale au XII° s.** par A. LONGNON: cartes fondamentales de l'ouest du royaume à l'avènement d'Henri Plantagenet et de l'est du royaume sous Louis VII, cartes qui représentent les limites des principaux fiefs et les sièges de seigneuries (source de nos cartes sur le traité de Verdun et l'Empire Plantagenet); elles sont suivies par d'importantes considérations sur la cartographie des possessions féodales illustrées par l'exemple du **comté de Champagne au XII° s.**: à ce jour il s'agit de la seule carte valable de cette principauté; [25 b] **France méridionale en 1208** bonne carte du comté de Toulouse et de tous ses fiefs, mais pas assez explicite sur l'implantation aragonaise au nord des Pyrénées; [28b] **comtés de Flandre et d'Artois au temps de Philippe le Hardi**; [28 c] **possessions de la Maison de Bourgogne**, carte inférieure à celle du *Bayerischer Atlas* (v. *supra*) qui indique aussi les fiefs de Louis d'Orléans; [39] **formation de l'Empire des Indes**; [41 a] **Allemagne centrale et occidentale en 1789**, que nous avons utilisée pour représenter les enclaves impériales d'Alsace et de Lorraine en 1789; [42] **La France en 1789**, excellentes cartes des **divisions administratives**

(Gouvernements; Généralités et Intendances), fiscales (Gabelles; Traites ou Douanes), judiciaires (Parlements), ecclésiastiques (évêchés); suivies d'une bonne mise au point sur le gouvernement d'Ancien Régime; pour les conquêtes napoléoniennes, les cartes principales [43] et [44] sont peu utilisables; en revanche on se reportera aux cartes accompagnant le texte: **Provinces Illyriennes en 1810, Royaumes allemands de 1800 à 1815**.

Enfin deux cartes d'un moindre intérêt: **France en 1815** [46 a] et **France en 1871** [46 b] qui montrent l'étendue de ces deux occupations du territoire.

Pour la Belgique, et donc pour les principautés des Pays-Bas et la frontière du nord, on possède une série de fascicules aujourd'hui épuisés, qui préfiguraient, par la qualité des cartes (à très grande échelle: 1/600.000 ^{ème}) et du texte, rédigé par les spécialistes d'alors, l'Atlas Historique Français; malheureusement l'entreprise avorta et seuls furent publiés:

VAN DER ESSEN L., *et al.*, *Atlas de Géographie historique de la Belgique*, fasc. VII/IX, *La Belgique au XVII° siècle (1648-1713)*. Bruxelles et Paris: G. Vanoest, 1927.

Il s'agit de la meilleure représentation de la **frontière du nord au XVII°** siècle; nous nous en sommes très largement inspirés, en la décomposant en une série de cartes; le texte est excellent lui aussi: il donne le détail des traités, pour les clauses concernant les Pays-Bas.

VAN DER ESSEN L., *et al.*, *Atlas de Géographie historique de la Belgique*, fasc. III, *Le duché de Lothier et le Marquisat de Flandre à la fin du XI's (1095)*. Bruxelles et Paris: G. Vanoest, 1932.

Carte et texte font le point sur la formation territoriale du **comté de Flandre**. Carton montrant les **divisions successives de la Lotharingie au IX°s**.

VAN DER ESSEN L., *et al.*, *Atlas de Géographie historique de la Belgique*, fasc. XI, *La Belgique sous la domination française (1794-1814)*. Bruxelles et Paris: G. Vanoest, 1919.

Carte des départements et cantons de la Belgique lors des conquêtes révolutionnaire et impériale; donne aussi l'**organisation religieuse et judiciaire des Pays-Bas** pendant cette période.

Enfin, dans un autre registre, mais à utiliser avec précautions pour les cartes historiques et administratives, souvent trop simplificatrices:

REMOND R., DUPEUX G., GERARD CL., LESOURD JA., LANCELOT A., BOUJU PM.,*Atlas historique de la France contemporaine (1800-1965)*. Paris: Armand Colin, 1966.

Aujourd'hui épuisé et sans grand intérêt pour notre propos: la partie historique est assez médiocre car simple reprise d'autres cartes, déja sommaires; dans les autres sections, on retiendra:
ADMINISTRATION: [16 à 19] les **regroupements régionaux de 1941 à 1962**;
TRANSPORTS: [119-120] cartes des **voies navigables** aux différentes époques de leur création, malheureusement illisibles à cause de leur petitesse; [121] **réseau routier et ses modifications de 1780 à 1950** complétée par [126] le **trafic routier en 1856-1857**; [131 à 134] les **chemins de fer et les étapes de leur construction**: intéressantes mais encore à trop petite échelle; [142] les **lignes ferroviaires supprimées de 1938 à 1962**;

RELIGION: outre les diverses cartes sur les **cadres diocésains de 1789 à 1961** (en particulier [283] modifications diocésaines de 1820 à 1961), on retiendra [290] **divisions administratives de l'église réformée de France;**

les sections EDUCATION et "LES FRANCAIS HORS DE FRANCE" ne comprennent que des cartes minuscules donc illisibles.

DEUXIEME PARTIE: LES OUVRAGES GENERAUX DE GEOGRAPHIE HISTORIQUE

Chapitre Ier . - *Les manuels généraux de géographie historique.*

La maison d'édition Picard s'est fait une spécialité de la géographie historique: elle publie en effet les ouvrages de base en la matière:

LONGNON A., DELABORDE F. *éd.*, JULLIAN C. *préf. La formation de l'unité française: leçons professées au Collège de France en 1889-1890* . Réimpression de l'éd. originale. Paris: A. et J. Picard, 1969. 460 p.

Ouvrage absolument indispensable (qui commence cependant en 987) et d'un usage très pratique: la "table des matières" est en réalité un index analytique, permettant de localiser un lieu cité dans l'ouvrage (indication du département) et d'en résumer l'histoire;

pour le **Moyen Age**, ce livre se présente comme un manuel historique dans lequel les acquisitions territoriales sont harmonieusement intégrées: chaque groupe territorial est décrit par la liste des châtellenies qui le composent, les traités sont très fidèlement rapportés;

pour l'**époque moderne et contemporaine** l'ouvrage nous semble plus faible: ses *a priori* nationalistes sont gênants dans les chapitres concernant les conquêtes d'Ancien Régime qui sont par ailleurs traitées trop rapidement.

On peut en outre lui reprocher l'absence de cartes, son désintérêt marqué pour l'histoire des cadres administratifs qui furent pourtant le complément nécessaire de toutes les conquêtes territoriales, ainsi que l'inexistence de la bibliographie - défauts au demeurant compréhensibles puisqu'il s'agit de cours magistraux - ; enfin, les principautés territoriales sont particulièrement mal traitées, dans leur première forme du moins: les problématiques développées par M. BLOCH et aujourd'hui classiques - importance des grandes familles comtales carolingiennes, première dissociation féodale suivie de la dislocation du pagus - en sont absentes et l'on devra plutôt se reporter à l'ouvrage de DHONDT sur ce point (v. *infra*).

LONGNON A. *Atlas historique de la France depuis César jusqu'à nos jours*, t.2, *texte explicatif.* Paris: Hachette, 1884-1889.

Complète le précédent sur la géographie administrative de la Gaule Romaine (source la plus accessible de la **Notitia Dignitatum**) et celle de l'époque franque (liste exhaustive des **pagi gallo-francs** que LONGNON avait étudiés dans ses classiques: *Etudes sur les pagi au VI° siècle.* 2vol. Paris,1869. reprise en 1879 dans sa *Géographie de la Gaule au VI° siècle*); il donne en outre un important **dictionnaire des principaux noms de lieux romains et francs.** L'ouvrage se termine en 1380, comme l'atlas, et fait pratiquement double emploi avec le précédent pour l'histoire médiévale.

MIROT L., MIROT A. *Géographie historique de la France: des origines à 1950* . Réimpression en un vol. des deux t. de la deuxième éd. Paris: A. et J. Picard, 1979. 623 p.

Ouvrage résolument pédagogique (il a été conçu avant tout pour servir de manuel de géographie historique aux élèves préparant l'Ecole des chartes), malheureusement vieilli sur de nombreux points: les cadres administratifs et religieux ont subi une refonte totale sous la Cinquième République ce qui rend la seconde partie quasiment inutilisable pour l'époque contemporaine; les cartes sont souvent illisibles du fait de leur petitesse (il m'a été impossible d'en connaitre l'échelle); le texte pèche souvent par excès de simplification pour l'époque romaine et le haut Moyen Age; pour le Moyen Age classique il est avantageusement remplacé par A. LONGNON. *La formation* ... malgré des précisions supplémentaires sur plusieurs points: **traités de l'époque de Philippe Auguste, traité de Meaux-Paris, politique des apanages**, etc. L'ouvrage est réellement indispensable: pour l'**époque moderne et contemporaine** car il en donne les principaux **traités**, accompagnés cette fois de cartes lisibles (mais toujours dépourvues d'échelle !); pour la **géographie ecclésiastique**, bien que certains points soient mal traités (évêchés carolingiens, ambiguités pour les créations de sièges en Lyonnaise III° lors de la domination bretonne des V°-IX° s., absence de carte indiquant les limites des évêchés d'Ancien Régime, oublis dans les listes d'évêchés restitués sous la Restauration etc.); pour la **géographie administrative** en général où l'ouvrage est très utile jusqu'en 1950 (géographie départementale, géographie judiciaire etc.).

Ce livre doit enfin être consulté pour ses **listes de noms latins**: fleuves et cours d'eau, lieux habités, pays gallo-francs (repris de LONGNON), ses **listes administratives et récapitulatives**: gouvernements, généralités et intendances, évêchés (à signaler: celle du ressort des évêchés après le Concordat de 1801, curieusement reportée en fin de seconde partie, p. 489), départements, cours d'appel etc., et une **bibliographie** excellente mais d'une consultation difficile puisqu'elle est disséminée dans tout le livre (sauf la bibliographie générale placée dans l'avant-propos de la première édition.)

Chapitre II . - *Les collections servant à la géographie historique régionale.*

Aux séries anciennes sont venues se substituer des collections plus récentes et d'un accès plus aisé:

• Dans la **collection "Que Sais-Je?" (Presses Universitaires de France)** certains ouvrages, comme les *Histoire de l'Anjou* et *Histoire du Maine*, nous semblent nettement insuffisants car trop anecdotiques; d'autres, comme l'*Histoire de la Provence*, l'*Histoire du Languedoc*, l'*Histoire de la Flandre et de l'Artois* et l'*Histoire de la Picardie*, bien qu'excellents s'attachent plus à l'histoire politique, économique et sociale; nous ne retiendrons donc que les volumes qui suivent, rangés par ordre alphabétique des provinces (ceux qui sont précédés d'un astérisque sont épuisés):

L'HUILLIER, F. *Histoire de l'Alsace*. Paris: Presses Universitaires de France (coll. "Que Sais-Je?"), 1947.
>   Très faible pour le Moyen Age, mais intéressant pour l'annexion à la France (cartes: [p.20] l'**Alsace politique au début du XVI° s.** et [p. 30] les **acquisitions françaises en 1648**) et l'annexion à l'Allemagne en 1871.

* RIGODON, R. *Histoire de l'Auvergne*. 3e éd. Paris: Presses Universitaires de France (coll. "Que Sais-Je?"), 1963.
>   Particulièrement intéressant pour tout le Moyen Age bien que les conclusions sur l'annexion par Philippe Auguste soient contestables à la lumière de la thèse d'Ecole des chartes à paraître de ESTIENNE, M.; cartes assez sommaires: [p. 60] l'**Auvergne au XIII° s.**; [p.104] la **généralité d'Auvergne au XVIII° s.**

TUCOO-CHALA, P. *Histoire du Béarn*. 2e éd. Paris: Presses Universitaires de France (coll. "Que Sais-Je?"), 1970.
>   Excellent et très utile pour la géographie historique de la région: [p.8] **arbre généalogique des vicomtes de Béarn**; carte intéressante: [p. 6] les **frontières et la formation du Béarn.**

* LEGUAI, A. *Histoire du Bourbonnais*. Paris: Presses Universitaires de France (coll. "Que Sais-Je?"), 1960.
>   Excellent pour la géographie historique médiévale et la formation de la principauté de Bourbon; **arbre généalogique des sires de Bourbon (X°-XIII° s.)** [p. 27]; cartes: [p.30] le **Bourbonnais au**

XIV° s.; [p.46] **possessions centrales de l'Etat bourbonnais après le rattachement de l'Auvergne.**

*✓WAQUET, H. et SAINT-JOUAN, H. de. *Histoire de la Bretagne.* 6e éd. Paris: Presses Universitaires de France (coll. "Que Sais-Je?"), 1975.

intéressant pour l'installation des Bretons au V°s., les rois du IX°s., le comté des Plantagenet puis des Capétiens et le rattachement au Royaume; pas de carte.

CRUBELLIER, M. et JUILLIARD, C. *Histoire de la Champagne.* Paris: Presses Universitaires de France (coll. "Que Sais-Je?"), 1952.

Assez dépassé pour la formation du comté de Champagne; on consultera: BUR, M. *La formation du comté de Champagne.*

très insuffisant pour les foires de Champagne; on aura recours à: BAUTIER, R.H. dans le *recueil de la Société Jean Bodin: la foire.*

bonnes cartes: [p.28] **organisation féodale de l'espace champenois** qui reste inférieure à celle de LONGNON dans l'*Atlas* de SCHRADER; [p. 56-57] **la Champagne à la fin du XVIII°s.** qui donne les limites de la généralité, du gouvernement et des départements contemporains.

ARRIGHI, P. et POMPONI, F. *Histoire de la Corse.* 2e éd. Paris: Presses Universitaires de France (coll. "Que Sais-Je?"), 1969.

* LETONNELIER, G. *Histoire du Dauphiné* . 2e éd. Paris: Presses Universitaires de France (coll. "Que Sais-Je?"), 1958.

Retrace précisément la formation de la principauté de Dauphiné de Viennois; excellente carte en regard aux [p. 7-8].

* PRECLIN, E. *Histoire de la Franche-Comté.* Paris: Presses Universitaires de France (coll. "Que Sais-Je?"), 1947.

Un peu sommaire pour le haut Moyen Age et la formation des seigneuries, qui sont particulièrement complexes dans la région; bon pour les XIV° et XV° s. Remplacé dans la même collection par un ouvrage de LERAT, L.

BRELINGARD, D. *Histoire du Limousin.* 2e éd. Paris: Presses Universitaires de France (coll. "Que Sais-Je?"), 1971.

Bon pour le Moyen Age; bonne carte [p. 101] superposant les limites des **seigneuries limousines** et les départements actuels.

* LEONARD, E.G. *Histoire de la Normandie* . 4e éd. Paris: Presses Universitaires de France (coll. "Que Sais-Je?"), 1972.

Remarquable en tous points: aborde largement la formation de "l'Empire Plantagenet" et des principautés normandes d'Italie et de Terre Sainte. Pas de carte.

Pour le développement des seigneuries méridionales, l'avènement de Guillaume le Conquérant et le partage des terres anglo-saxonnes après la conquête de l'Angleterre, on le complètera avec un livre de la même collection:

* DE BOUARD, M. *Guillaume le Conquérant.* 2e éd. Paris: Presses Universitaires de France (coll. "Que Sais-Je?"), 1966.

CROZET, R. *Histoire du Poitou*. 2e éd. Paris: Presses Universitaires de France (coll. "Que Sais-Je?"), 1970.
>   Assez bon pour la formation des seigneuries poitevines et du duché d'Aquitaine; excellente carte[p.80-81] représentant les **cadres administratifs d'Ancien Régime**

* DURLIAT, M. *Histoire du Roussillon*. 2e éd. Paris: Presses Universitaires de France (coll. "Que Sais-Je?"), 1969.
>   Probablement le meilleur ouvrage de la collection et un modèle du genre: étudie en détail la formation des principautés catalanes (excellente carte des **comtés de Roussillon, Cerdagne et Besalu au XI° s.** [p.34]; **tableau généalogique des comtes catalans [p. 30]**), le développement du Royaume de Majorque, du Roussillon sous domination catalane puis l'annexion à la France.

• **La collection des provinces de France (éditions Privat)**: d'un excellent niveau d'ensemble et toujours soucieuse de retracer l'évolution des principautés territoriales.

• **La géographie féodale**

On doit d'abord citer l'ouvrage pionnier et irremplacé:
BLOCH M., *La Société féodale: la formation des liens de dépendance; les classes et le gouvernement des hommes* . 2e éd. Paris: Albin Michel,.
>   réédition en format de poche; même s'il ne donne pas de détails sur les principautés, les replace dans leur cadre historique, analysé avec une remarquable pénétration (consulter en particulier les pages sur l'origines des communes et de la paix de Dieu, sur la nature du sacerdoce royal etc.)

La plupart des études qui concernent la géographie historique et la formation des principautés sont recensées dans l'article de:

FEUCHERE P., "Essai sur l'évolution territoriale des principautés françaises (X-XIII° siècles)", *Le Moyen Age*, 1952, pp. 85-117.
>   qui tente une première synthèse des hypothèses alors en cours - et qui n'ont pas énormément varié depuis -. L'auteur trace d'abord un tableau des évolutions régionales puis reprend le détail de chaque principauté.

Bibliographie quasi exhaustive qu'on pourra compléter par celles, plus récentes, des ouvrages de la collection "Nouvelle Clio": (POLY J., BOURNAZIEL; FOSSIER R.)

Pour la formation territoriale la géographie historique des grandes principautés à leur apogée (Normandie, Savoie, Flandre, Dauphiné, Aquitaine, Anjou des Plantagenet, comté de Toulouse, Béarn, Armagnac, duché de Bourgogne etc.) et une bibliographie sélective, on aura toujours intérêt à consulter les chapitres correspondants dans le tome 1 de:
LOT F., et FAWTIER R., *Histoire des Institutions françaises au Moyen Age*, t. 1, *Institutions seigneuriales: les droits du roi exercés par les grands vassaux*. 1e éd. Paris: Presses Universitaires de France, 1957.

Pour une période plus limitée, on aura recours à un ouvrage classique, mais complexe par la rigueur de son érudition:
DHONDT J., *Etudes sur la naissance des principautés territoriales en France*. Bruges: , 1964.
>   son style volontairement aride s'explique par la volonté de l'auteur de faire table rase des histoires provinciales qui s'inspiraient jusqu'alors de celles des Bénédictins de Saint Maur qui s'étaient eux mêmes appuyés sur des documents contemporains émanés d'établissements ecclésiastiques, désireux de flatter leurs bienfaiteurs (lignage immémorial, lié à la famille carolingienne; hauts faits des ancêtres etc.). DHONDT

insiste sur les substrats raciaux des principautés (thèse critiquée) et sur l'importance des lignages comtaux installés par les carolingiens, ce que reprend l'ouvrage déja cité de RICHE P., *Les carolingiens...*

Chapitre III .- *Le repérage des noms de lieux*

• Les dictionnaires topographiques: ouvrages généraux

Pour un simple repérage, on recourra au *Bottin des Communes* dans ses éditions récentes (donne le canton, le département et permet une localisation aisée), ou mieux, au *Dictionnaire des Postes* dans ses anciennes éditions car il répertorie des lieux-dits disparus aujourd'hui.
Pour nos repérages cartographiques, nous avons utilisé *le Grand atlas de la France* (Sélection du Reader's Digest), qui utilise des cartes IGN au 1/500.000° et comprend une table des noms exhaustive (répertorie les lieux habités jusqu'au niveau de la commune) complété par le *Dictionnaire géographique de la France: communes, départements, régions...* (Larousse, 1979).

• Les dictionnaires topo-historiques généraux

Pour une approche rapide et une bibliographie sommaire -dépassée car elle date de la fin du siècle dernier-:

CHEVALLIER U., *Répertoire des sources historiques du Moyen Age*, t.1 et t.2,*topo-bibliographie*. Edition reproduite en reprint, New York: Kraus,1959.

Pour la traduction des noms de lieux latins: DESCHAMPS P., *Dictionnaire de géographie ancienne et moderne*. (supplément de: BRUNET, *Manuel du libraire et de l'amateur de livres*).

On aura ensuite recours au *Dictionnaire topographique de la France*, en plusieurs volumes départementaux (tout le territoire national n'est pas couvert; v. carte *p. 231*); chaque ouvrage donne: un classement alphabétique des noms ayant une quelconque importance historique dans le département (mentionnés dans des actes ou des textes médiévaux), les sources qui les citent, une table des formes anciennes.
D'un intérêt plus démographique et administratif, la collection des *Paroisses et communes de France* , publication du Laboratoire de Démographie Historique de l'EPHE: dans chaque volume départemental, chaque page est consacrée à une commune et contient: son ou ses noms contemporains et anciens, les administrations d'Ancien Régime auxquelles elle était rattachée, divers renseignements démographiques, tirés des registres paroissiaux, enquêtes et recensements; ici encore, toute la France n'est pas couverte (v. carte *p. 231*).

Citons enfin un ouvrage récent que sa précision rend indispensable:

MOREAU J., *Dictionnaire de géographie historique de la Gaule et de la France*. Paris: A. et J. Picard, 1972. suivi d'un *Complément*.
lexique topographique qui répertorie, par ordre alphabétique, tous les noms de lieux faisant difficulté: pagi et pays, départements, peuples gaulois, évêchés, noms latins des époques gallo-romaine et franque, etc. Excellents tableaux synoptiques:"des peuples gaulois aux cités gallo-romaines et aux premiers évêchés", "des pays et provinces aux départements et régions". Bonnes cartes des cités romaines et des pagi gallo-francs.

222

• Les ouvrages de géographie administrative

Outre les almanachs d'Ancien Régime (*Almanach Royal*) et les annuaires contemporains (*Almanach Impérial, Almanach National, Bottin Administratif*), on utilisera le *Manuel* de MIROT, et surtout un ouvrage très complet et pratique:

BANCAL J., *les Circonscriptions administratives de la France: leurs origines et leur avenir*. Paris: Sirey, 1945.
   Oeuvre d'un ardent défenseur de la décentralisation, s'efforce de déterminer, au delà des "aberrations" du cadre départemental, ce qu'il y a d'intangible et de judicieux dans les divisions administratives anciennes, dont il retrace l'histoire; nombreux tableaux récapitulatifs (les cités romaines, les gouvernements d'Ancien Régime, les modifications de préfectures et sous-préfectures, etc.)

On peut le compléter par une carte qui n'est malheureusement plus rééditée:
CAGNION M., J[ARRY] E. et P[OISSON] Ch., *Carte historique des Provinces et Pays de France*. Paris: Dufrénoy, [1944].
   à grande échelle (1/1.820.000), elle surimpose au cadre départemental les limites des provinces en 1380 et celles des généralités en 1789; indique aussi les limites des "petites provinces" et le nom des pays historiques ou géographiques.

ainsi que par la carte des gouvernements d'Ancien Régime superposée aux départements révolutionnaires dans:
GODECHOT J., *les Institutions de la France sous la Révolution et l'Empire*. Paris: Presses Universitaires de France, 1951.

Pour les bailliages et sénéchaussées on possède un outil de travail plus précis:
DELISLE L., *Chronologie des baillis et sénéchaux royaux depuis les origines jusqu'à l'avènement de Philippe de Valois*. dans:*Recueil des historiens de la France*, t. 14, Paris: Imprimerie Nationale, 1904.
suivi de:
DUPONT-FERRIER G., *Gallia Regia, ou l'état des officiers royaux des bailliages et des sénéchaussées de 1328 à 1515*. Paris: Imprimerie Nationale, 1942-1966.
   permet de suivre leur évolution et la succession de leurs titulaires; table des matières par bailliage ou sénéchaussée, table succincte des noms de lieux.

à compléter, pour la Flandre, par: NOWE , *les Baillis flamands...*
La meilleure carte des généralités en 1789 a été dressée par BRETTE à partir des convocations aux Etats Généraux.

• Les ouvrages de géographie ecclésiastique (clergés séculier et régulier)

La carte la plus pratique des évêchés français est celle de Dom DUBOIS, parue en annexe de son article:
DUBOIS J., "La carte des diocèses de France avant la Révolution", *Annales: Economie, Société, Civilisation* 20 (4), juillet-août 1965, pp. 680-691.
   article comprenant plusieurs cartes récapitulatives (création de diocèses, problème des enclaves etc.) et une bibliographie; la carte générale, qu'on peut acquérir au Laboratoire de Cartographie de l'EPHE (131, bd Saint-Michel, Paris 75005) est tracée sur un fonds où les repérages sont assez difficiles.

Pour les évêchés du nord et de Belgique, on la complètera par les cartes se trouvant en annexes de:
DE MOREAU E. et DE GHELLINCK A., *Histoire de l'Eglise en Belgique*, tome complémentaire 1, *circonscriptions ecclésiastiques: chapitres, abbayes, couvents avant 1559; cartes* . Bruxelles: l'Edition Universelle, 1948.

Si l'on recherche plus de précision (indication des paroisses et établissements religieux), on se servira des cartes de:
FONT-REAULX J. de, *Atlas des anciens diocèses de France*. Valence: Barrière, 1954.
        la "couverture" des évêchés français n'est pas achevée; les diocèses suivant **manquent**:
        en Belgique IIA: Cambrai et Saint-Omer;
        Verdun, Toul, Saint-Dié, Nancy, Metz, Strasbourg;
        en Lyonnaise Première: Lyon, Mâcon, Dijon, Autun, Saint-Claude;
        la Lyonnaise Seconde;
        la Lyonnaise Troisième;
        en Lyonnaise Quatrième: Paris, Orléans, Meaux, Auxerre, Nevers;
        en Aquitaine Première A: Limoges, Clermont, Tulle, Saint-Flour; B: Mende;
        en Aquitaine Seconde: Poitiers;
        en Narbonnaise Seconde: Nîmes, Toulon;
        en Viennoise: Belley, Chambéry;
        en Séquanaise: Besançon, Bâle, Lausanne.

Pour les établissements disparus ou non portés sur ces cartes récentes, on utilisera:
DAIMVILLE F. de et LE BRAS G. *préf.*, *Cartes anciennes de l'Eglise de France: historique, répertoire, guide d'usage* . Paris: J. Vrin, 1956.
        répertoire chronologique des cartes anciennes des diocèses, avec leur historique et leur localisation dans les archives ou bibliothèques; donne en outre des méthodes d'interpolation et d'analyse applicables à toutes les cartes anciennes.

Pour le repérage sur une carte contemporaine des établissements réguliers, on utilisera de préférence:
COTTINEAU dom H., *Répertoire topo-bibliographique des abbayes et prieurés* . Mâcon: Protat frères, 1935-1937.
        volume supplémentaire de PORAS dom G., qui résout les abréviations et donne une liste des formes latines.
        Ordre alphabétique de établissements.
On possède aussi l'ouvrage de Dom BEAUNIER, *Recueil historique des archevêchés, évêchés, abbayes et prieurés de France*, classé par province ecclésiastique; donne des références bibliographiques et un bref historique pour chaque établissement.
Pour les établissements des jésuites: DELATTRE P. *dir*, *les Etablissements de Jésuites en France depuis quatre siècles; répertoire topo-bibliographique...* 5 vol.

On trouvera, sous une forme pratique, un état récent des travaux dans:
BAUDRILLART A., VOGT A., ROUZIES U. *et al.*, *Dictionnaire d'Histoire et de Géographie Ecclésiastiques*. Paris: Letouzey et Ané, 1912-1984.
        Jusqu'à *Giry*.

TROISIEME PARTIE: GENEALOGIES ET BIOGRAPHIES

Chapitre premier .- *Les ouvrages généraux*

Outre la seconde partie du *Répertoire des sources historiques du Moyen Age* du chanoine Ulysse CHEVALLIER (t. 3 et t. 4), on trouvera une mine de renseignements dans:

MAS LATTRIE comte de, *Trésor de chronologie, d'histoire et de géographie pour l'étude et l'emploi des documents du Moyen Age*. Paris: Victor Palmé, 1889.
 repris de l'*Art de vérifier les dates* qu'avaient entrepris les Bénédictins avant que la Révolution ne les interrompe, il s'agit d'une somme à vocation universelle; on y trouve pêle-mêle: des notions de comput, une liste des saints, des pères de l'Eglise, des papes et cardinaux, diverses chronologies (conciles, narrations de voyages en Terre-Sainte, ordres religieux); viennent ensuite les *séries historiques* qui nous intéressent plus directement: liste des rois de France avec de nombreuses précisions sur leurs épouses et leurs descendants (on se référera aussi au petit livre de:
 FRANKLIN A., *les Rois et les gouvernements de la France de Hugues Capet à nos jours* . seconde édition de 1906 reproduite en reprint et mise à jour en 1978. Paris: A. et J. Picard, 1978.);
 liste des rois et princes indépendants du V° au XI° siècle: généalogie et histoire des principales familles seigneuriales du Moyen Age, et donc évolution de leurs principautés territoriales; viennent enfin des séries équivalentes, bien que moins fournies, pour les autres royaumes européens et même orientaux.

A compléter avec des monographies qu'on repérera grace à:
SAFFROY G., *Bibliographie généalogique, héraldique et nobiliaire de la France*. Paris, 1968-1974.
ARNAUD E., *Répertoire des généalogies françaises imprimées*. Paris, 1978-.

On se référera aussi aux encyclopédies récentes: moins l'*Encyclopedia Universalis* dont les notices sont souvent superficielles, que l'*Encyclopedia Britannica* dont les articles biographiques sont nombreux et très approfondis; on peut cependant y regretter l'absence d'arbres généalogiques pour les familles princières du Moyen Age: on en trouvera certaines dans *la Grande Encyclopédie Larousse* dont les articles biographiques sont médiocres.

Pour les sources imprimées anciennes mais difficilement accessibles, on aura recours à:
FRANKLIN A., *les Sources de l'histoire de France: notices bibliographiques et analytiques des inventaires et des recueils de documents relatifs à l'histoire de France*. Paris: Firmin-Didot, 1877.
 sources regroupées en listes analytiques très maniables: dépouillements du *Catalogue de l'histoire de France* de la BN, de divers recueils littéraires, de la *Gallia Christiana* (p.465), de l'*Histoire généalogique de la maison royale de France, des pairs...* du Père Anselme de Sainte Marie (p. 557) etc.

Chapitre second .- *Les généalogies générales*

Outre les monographies locales auxquelles nous ferons allusion dans notre bibliographie carte par carte, nous avons utilisé le très maniable:
GARNIER Ed., *Tableau général des souverains de la France et de ses grands feudataires*. Paris: A. Franck, 1863.

Pour trouver des généalogies plus sélectives on se référera au *Répertoire* d'ARNAUD E., *op. cité*.

Chapitre troisième .- *Les biographies religieuses*

• **clergé séculier**

On consultera les listes de:

GAMS P. Pius Bonifacius, *Series Episcoporum ecclesiae Catholicae*. Regensburg: Manz, 1873.

pour la France, se reporter aux pages 476-658 (avant le Concordat; de 1801 à 1821; de 1817 à 1871).

Nombreuses précisions et corrections, ordre différent (ordre alphabétique des évêchés) dans:

EUBEL C., *Hierarchia Catholica Medii Aevi sive Summorum pontificum, S.R.E. Cardinalium, Ecclesiarum antistitum series ab anno 1198 usque ad annum 1431 perducta*. Regensburg: Manz, 1898.

suivi par des séries chronologiques qui le complètent jusqu'en 1846.

Concernant la France, et uniquement pour l'époque moderne et contemporaine:

CHAPEAU A. et COMBALUZIER F., *Episcopologe français des Temps Modernes, 1592-1973*. Paris

QUATRIEME PARTIE: BIBLIOGRAPHIE ET SOURCES DES PRINCIPALES CARTES

HISTOIRE

Histoire Antique: l'administration de la Gaule Romaine

On aura recours, comme présentation générale de l'administration romaine en Gaule, au petit manuel de:
BORDET M., *la Gaule romaine.* 1e éd. Paris: Bordas, 1971.
> qui donne un résumé lumineux des premières conquêtes de Rome en Gaule puis des campagnes de César [p. 5-26], d'excellentes définitions de la civitas [p. 38] et de "l'attribuitio" [p. 45] , une analyse succinte mais claire des réformes du Bas Empire.

Pour plus de détails sur les limites des civitates au Bas Empire:
LONGNON A., Atlas ... ouvrage cité.

• La Gaule à l'arrivée de César
Fond de carte utilisé: MOREAU J., *Dictionnaire de géographie historique...*
Bibliographie complémentaire: Une liste commode des peuples gaulois, avec les limites présumées de leurs territoires, des hypothèses sur leurs origines et la signification de leurs noms dans:
LOT F., *La Gaule: les fondements ethniques, sociaux et politiques de la nation française.* 2e éd. revue et corrigée par P.M. DUVAL. Verviers: Marabout, 1977.
> Réédition, en format de poche, d'un ouvrage ancien: très dépassé pour tout ce qui concerne l'administration romaine, la civilisation Gallo Romaine et dailleurs difficilement accessible puisqu'il n'y a pas d'index.

• Les réorganisations administratives du Bas Empire
Fond de carte utilisé: MOREAU J., *Dictionnaire de géographie historique...*
Bibliographie complémentaire: PETIT P., *Histoire générale de l'Empire romain*, t.3, *le Bas-Empire.* 2e éd. Paris: Editions du Seuil, 1974.
doté d'un index très bien fait, d'une bibliographie quasi exhaustive disséminée dans les chapitres correspondants.

• Les cités alpines:
Fond de carte utilisé: MOREAU J., *Dictionnaire de géographie historique...*
Bibliographie complémentaire:
LONGNON A., *Atlas*
Dictionnaire d'Histoire et de Géographie ecclésiastiques (pour chaque évêché)
MARIOTTE JY. ...,*Atlas Historique Français: Savoie...*

Le Haut Moyen Age: les royaumes barbares

• Extension des royaumes barbares (IV- VI°s); état en 483.
Fond de carte utilisé: MOREAU J., *Dictionnaire de géographie historique...*
Bibliographie complémentaire:
LONGNON A., *Atlas...*
LOT F., *la Fin du monde antique et le début du Moyen Age.* Paris, Albin Michel: 1972.
pour les Wisigoths: ROUCHE M., *l'Aquitaine des Wisigoths aux Arabes: 418-781, naissance d'une région.* Paris, Jean Touzot, 1979.excellentes cartes (en particulier des pagi gallo-francs).

• Les partages mérovingiens et l'apparition des provinces mérovingiennes
Fond de carte utilisé: MOREAU J., *Dictionnaire de géographie historique...*
Bibliographie complémentaire:
LONGNON A., *Atlas...*
MIROT A. et L., *Manuel...*

• Le partage de Verdun et ses suites
Fond de carte utilisé: MOREAU J., *Dictionnaire de géographie historique...*
Bibliographie complémentaire: excellentes cartes de ce partage et de ceux de la Lotharingie dans:
PARISET FG., *la Lorraine sous les Carolingiens*

La premiere dissociation territoriale

Toutes les questions traitées dans le corps de l'atlas et qui ne sont pas reprises plus bas sont directement traitées par DHONDT sans qu'il nous ait été nécessaire de les approfondir ailleurs; en outre les fonds de cartes des pagi sont tirés du *Dictionnaire* de MOREAU.

• les origines du duché de Bourgogne: voir CHAUME, *les Origines du Duché de Bourgogne.*
• les territoires d'Herbert de Vermandois: BUR, *la Formation territoriale du comté de Champagne.*
• les origines du comté de Flandre: contribution de GANSHOF dans *Histoire des Institutions françaises au Moyen Age...*; carte et texte de l'*Atlas de Géographie Historique Belge.*

Les possessions royales des premiers capétiens

• Le domaine des premiers capétiens
Une controverse a autrefois opposé 2 écoles historiques: les tenants de la géographie historique classique qui, tels Auguste LONGNON, prétendaient définir à l'hectare près, l'étendue du domaine royal (v. par exemple: *La formation de l'unité française,* ouvrage cité, pp. 35-40); une historiographie plus récente qui refusait cette conception et affirmait que le domaine royal était autant composé de droits et de revenus que de territoires; l'ouvrage à consulter est:
NEWMANN W.M., *Le Domaine royal sous les premiers Capétiens (987-1180),* Paris: , 1937.
> ouvrage de référence qui pèche cependant parfois par excès de pointillisme; l'auteur s'est toutefois attaché à synthétiser ses résultats dans des tableaux récapitulatifs; ses cartes au contraire sont quasi inutilisables: selon la terminologie de J. BERTIN il s'agit de cartes à lire plutot qu'à voir et l'éparpillement et la variété des droits royaux a forcé à multiplier les cartes et les signes conventionnels.

Pour notre part, nous avons sacrifié à la tradition en reportant sur notre carte des limites précises au domaine royal: il s'agissait de rendre visible son exiguité par rapport aux grands fiefs, même s'il ne formait pas un ensemble cohérent et si ses limites véritables restent difficilement descriptibles;
NEWMANN a longuement traité des évêchés royaux qu'il a regroupés dans un tableau récapitulatif; mais ses conclusions sont sans doute en deçà de la vérité; nous avons donc tenu pour royaux des évêchés que NEWMANN ne donnait pas comme tels, nous appuyant en ceci sur la biographie de Louis VII de Maurice PACAUT.

La deuxième dissociation territoriale

• Thibaudiens et Plantagenets au XII°s
LONGNON, *Atlas...*
• le comté d'Anjou sous Foulque Nerra et Geoffroy Martel
Atlas Historique Français... Anjou
• le comté de Toulouse
Très discutable, mais utile pour la croisade albigeoise et ses suites: BELPERRON, *La Croisade des Albigeois...*;
aussi la contribution de FLICHE dans l'*Histoire des Institutions Françaises du Moyen Age...*
• Le comté de Maurienne au XII° siècle: *Atlas Historique Français...Savoie...*; voir aussi l'excellent ouvrage de:
PREVITE ORTON, *the Early History of the House of Savoy...*

"L'Empire Plantagenet"

Une somme: BOUSSARD J., *l'Empire Plantagenet...*

Les conquêtes capétiennes au XIII° siècle

• conquête progressive de la Normandie par les capétiens au XII°s: on consultera POWICKE, *the Loss of Normandy...*
• les avancées dans le nord du Royaume
BORELLI de SERRES, *La Réunion des Provinces septentrionales à la Couronne par Philippe Auguste: Amiénois-Artois-Vermandois-Valois.* Paris: Picard, 1899.
    très touffu mais irremplaçable: le problème était de définir quand et comment s'était faite l'acquisition de ces
    territoires par le roi, ce qu'aucun document contemporain ne nous apprend directement: d'où des recherches
    diplomatiques sur la titulature de Philippe d'Alsace, Aliénor de Vermandois, Philippe Auguste etc. qui
    "serrent" au plus près la date de rattachement.

Les principautés du XV°s

• les domaines de Louis d'Orléans: JARRY E., *la Vie politique de Louis de France, duc d'Orléans.* ; aussi l'excellente
carte du *Bayerischer Atlas.*
• Les domaines Bourguignons: voir la réédition récente de: CALMETTE J., *les Ducs de Bourgogne...*
et les carte de l'*Atlas* de SCHRADER et du *Bayerischer Atlas.*

• les domaines princiers du sud ouest:
pour le Béarn: TUCOO CHALA, *Gaston Phébus...* excellentes cartes; ainsi que sa contribution dans l'*Histoire des
institutions françaises au Moyen Age.*
pour l'Armagnac et la Gascogne: la contribution exhaustive de SAMARRAN dans l'*Histoire des institutions...*;
ainsi que sa carte dans *La maison d'Armagnac au XV°s.*

L'époque moderne et contemporaine: la fixation des frontières

• Les frontières du nord et de l'est:
nous nous sommes référés aux ouvrages généraux qui sont d'une précision suffisante, comme le manuel de
MIROT; en outre, nous avons "démultiplié" la carte de l'*Atlas de Géographie Historique Belge...*; une somme sur

la frontière du nord: GIRARD D'ALBISSIN, *Genèse de la frontière Franco-Belge...*; une réflexion intéressante sur les aspects humains de cette frontière: LENTACKER, *la Frontière franco-belge...*

Pour la frontière de l'est, nous nous sommes servi de la carte de LIVET dans *l'intendance d'Alsace au XVII's....* et de celle de L'HUILLIER dans le Que Sais-Je *Histoire de la Lorraine*

• la guerre de 1870-1871 et le traité de Francfort: nombreuses cartes, notamment dans les anciens manuels de première (DUROSELLE et GERBET p. 215).

• la guerre de 1914-1918 et le traité de Versailles: BARIETY, *les Relations franco-allemandes après la Première Guerre mondiale.*

• la guerre de 1939-1945 et l'Occupation allemande: MICHEL H., *la Seconde Guerre Mondiale...*

GEOGRAPHIE ADMINISTRATIVE ET JUDICIAIRE

On se servira des ouvrages déja cités dans notre bibliographie de géographie administrative; nous nous contenterons de signaler les ouvrages que nous n'avons pas cité dans celle ci; nous avons surtout employé le livre de BANCAL, *les Circonscriptions administratives de la France.* et le *Bottin Administratif* pour les circonscriptions contemporaines.

Géographie administrative de la France contemporaine

• la départementalisation des territoires conquis (1792-1810): pour la Belgique, *Atlas de Géographie Historique belge...*

Circonscriptions militaires

Malgré de nombreuses coquilles typographiques, on utilisera la contribution de:
CORVISIER, "les Circonscriptions militaires de la France: facteurs humains et facteurs techniques." dans *101° Congrès des Sociétés Savantes, Lille, 1976, histoire moderne.*

GEOGRAPHIE RELIGIEUSE

On se reportera aux ouvrages déja cités.

• la France protestante
Pour l'organisation religieuse, MOURS S., *le Protestantisme en France au XVII° siècle.* et dans la *Discipline ecclésiastique des églises réformées de France...*, La Haye, 1760.
L'organisation militaire qui suit, *grosso-modo*, les limites des gouvernements militaires se trouve aussi dans MOURS.
L'organisation contemporaine se trouve dans REMOND R., *Atlas...*

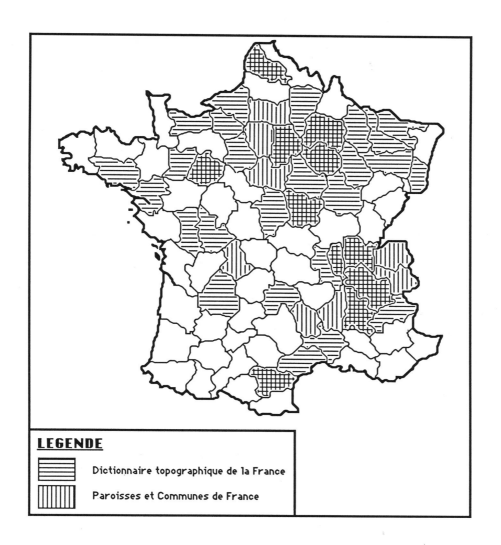

231

INDEX DES NOMS DE LIEUX

Cet index des noms respecte un ordre constant:
1- NOM du lieu (majuscules.)
2- entre crochets []: numéro du département ou nom du pays auxquel
le lieu appartient ; les lieux trop généraux ou ne pouvant être limités
à un seul pays ou département ne sont suivis d'aucune précision.
3- (sur la même ligne) références générales.
4- références particulières toujours dans le même ordre: royaume,
duché, comté, châtellenie ou seigneurie, gouvernement, prévôté ou
bailliage, généralité ou intendance, pays d'Etats, parlement, chambre
des comptes, cour des aides; province ecclésiastique, archevêché,
évêché; région de programme, département, préfecture, sous-
préfecture, cour d'appel, académie, région militaire.

233

236

237

gvt :141;142
Etats :152
FOLIGNO [ITALIE]
  s préf:146
FONTAINEBLEAU [77]
  s préf:148
FONTENAY-LE-COMTE [85] 138;206-207
FORBACH [57] 125;126;128
FORCALQUIER [4]
  comt :70;78-79;82-83
FORETS [BELGIQUE]
  dept :144-145;195
FOREZ [42] 40-41;139
  comt :82;84;102
FORT-PECCAIS [30] 207
FOUGERES [35] 64
FRANCE
  duch :48-49
FRANCFORT-AM-MAIN [ALLEMAGNE FEDERALE] 128-129
FRANCHE-COMTE 109;114-115
  comt :=comté de Bourgogne:80-81;82;84;86;88-89;97
  gvt :139
  Etats :162
  region:153
FRANCIA MEDIA 38
FRANCIA OCCIDENTALIS 38
FRANCIA ORIENTALIS 38
FRANCONIE [ALLEMAGNE FEDERALE] 38
FREJUS [83]
  évêché:187;190;194;199;200-201
FRETEVAL [41] 56
  châtel:98-99
FRIBOURG-EN-BRISGAU [ALLEMAGNE FEDERALE] 114-115
FRISE [PAYS-BAS] 38
  comt :91;93;97
  dept :144;146
FROSINONE [ITALIE]
  s préf:146
FURNES [BELGIQUE] 112;118;145

G

GABARDAN [40]
  châtel:vicomté:104-105
GAILLAC [81]
  s préf:148
GAILLON [27] 67
GAND [BELGIQUE] 46-47;68;97;145
  parl :96
  évêché:182
GANNAT [3]
  s préf:148
GANTOIS [BELGIQUE] 46
GAP [5] 206
  évêché:39;187;190;199;200-201;202
GARONNE (HAUTE) [31]
  dept :147
GASCOGNE [32]
  duch :40;140
GATINAIS [45] 83;137;138
GAULE 20-21
GAULES (DIOCESE DES) 22-23;24-25;181
GAULES (TROIS) 20-21
GAURE [32]
  comt :104-105
GENES [ITALIE]
  dept :144;146
  préf :146
  acad :158

GENEVE [SUISSE] 30;145
  évêché:39;60;182;187;189;190
GENEVOIS [74] 60
GERMANIE INFERIEURE 20-21
GERMANIE PREMIERE 22-23;24-25
  prov :181
GERMANIE SECONDE 22-23;24-25
  prov :181
GERMANIE SUPERIEURE 20-21
GERONE [ESPAGNE]
  évêché:186
GERS [32]
  dept :147
GEVAUDAN [48] 141
  comt :70
GEX [1] 123;139;206
  s préf:148-149
GIEN [45] 56
  s préf:148
GIGNAC [34] 207
GIRONDE [33]
  dept :149
GISORS [27] 66-67
GIVET [8] 122
GLANDEVES [4] 26-27
  évêché:39;188;190
GOES [PAYS-BAS]
  s préf:146
GOLO [20]
  dept :144-145
GONDREXANGE [57] 112
GORITZ [ITALIE]
  s préf:146
GORZE [57] 112-113
GOTHIE 30-31;38
GOURDON [46] 72-73
GOURNAY [76]
  châtel:66-67
GRAND-SACONNEX [SUISSE] 122-123
GRANDE BRETAGNE GB 129
GRASSE [6] 145
  évêché:187;188-189;190
GRAVELINES [59] 110
GRAY [70]
  s préf:148
GRENOBLE [38] 139
  gvt :142
  géné :143
  Etats :152
  parl :156
  cptes :156
  aides :156
  évêché:39;187;190;194-195;196;200;202
  appel :174-175;176
  acad :158-159
  milit :166-167
GRESIVAUDAN 38 30-31;40
GREZES [48]
  châtel:Vicomté:72-73
GRONINGUE [PAYS-BAS]
  préf :146
GROSSETTO [ITALIE]
  s préf:146
GUEBWILLER [68] 120;124
GUELDRE [PAYS-BAS]
  duch :94-95;97;98-99
GUERET [23] 62;64;78;82;139
  évêché:194
GUINES [62] 47

249

INDEX DES PERSONNES

• Dans cet index des noms, le contenu des notices suit un ordre constant:
1- NOM du personnage (majuscules).
2- titre principal (ordre hiérarchique) ou titre le plus fréquemment employé.
3- références.

*• L'ordre des entrées homonymes est, pour les **hommes**:*
1- Empereurs
2- Rois de France
3- Rois d'autres royaumes européens (puis ordre alphabétique des royaumes).
4- Ducs (puis ordre alphabétique des duchés)
5- Comtes (puis ordre alphabétique des comtés)
6- personnages de moindre importance etc.
7- clergé séculier: pape, archevêque, évêque.

• L'ordre des entrées homonymes pour les femmes est l'ordre alphabétique de leur royaume ou principauté d'origine [ex. BLANCHE de Bourbon avant BLANCHE de Castille]

A

253

256

INDEX DES MATIERES